THE ART OF FRENCH SONG

19th and 20th Century Repertoire

Selected and edited by
Ausgewählt und herausgegeben von

Roger Nichols

Complete with translations and guidance on pronunciation
Mit Übersetzungen und Hinweisen zur Aussprache

Volume I / Band I

Medium / Low Voice
Mittlere / Tiefe Stimme

EDITION PETERS

LONDON · FRANKFURT/M. · LEIPZIG · NEW YORK

CONTENTS / INHALT

Cover picture: Gustave Caillebotte (1848–1894) *Paris Street: A Rainy Day*

PREFACE

Remarks on singing French Song

Pronunciation

In just a few paragraphs on this vast subject it is clearly impossible to do more than alert the non-French singer to some of the main pitfalls.

The sound of French vowels can only really be learnt by listening to a native French speaker, but this can usefully be supplemented by an understanding of various principles. Perhaps the most important one for an English-speaking singer is that vowels and diphthongs before a consonant retain their pure character and do not anticipate the mouth shape of that consonant: the vowel sounds in 'sou' [su] and 'ri' [ri] remain unchanged in 'sourire'. The English tendency is to bastardise the vowels into something approaching 'soueriere' [souəriərə].

Non-French-speakers also tend to be frightened by the French nasal vowels, which they need not be. Again, listening to a native speaker will help, but a further point to remember is that in these cases the 'n' or 'm' is *not* pronounced: 'profonde' is pronounced [prɔfɔ̃də], not [prɔfɔ̃ndə]. On the other hand, where no nasalization is involved, 'trapped' consonants which in English would serve merely to colour the preceding vowel (the 'l' in 'calm', the 'r' in 'charm') are sounded in the French equivalents, 'calme' and 'charme', as always without colouring the vowel: [kalm], [ʃarm].

Finally, it is helpful to remember that, wherever possible, the French syllable begins with a consonant and ends with a vowel. Here are the first lines of the opening song in the volume split in this way:

Ain-si, tou-jours pou-ssés vers de nou-veaux ri-va-ges,
Dans la nuit é-ter-ne-llem-por-tés sans re-tour

If the French like to give the consonant primacy of position, this is compensated for by the vowel having primacy of length. That is to say, in French song, as in French speech, vowels last longer relatively to consonants than they do in English. In France, one can quite reasonably congratulate an artist after a concert with the epithet 'superbe!' [sypɛrb] and make the [ɛ] last a full second, whereas a similar treatment in England of 'superb' might be taken as either extravagant or even insincere. As a further contribution to the vowel–consonant balance, the French tend to make their consonants, and especially their dentals, labials and palatals, sharper than English speakers do. At the same time non-French singers need to take care not to overarticulate and thereby come over as prissy or self-regarding; and certainly emphasis on consonants must not prevent vowels from being given their full worth. As with most artistic endeavour, the audience should be able to appreciate the result without being made uncomfortably aware of all the hard work that has gone into it. The aim might be the French of the great baritone singer of *mélodies*, Charles Panzéra, which, while exemplary in its clarity, sounded according to one critic as though it had knocked around the world a good bit, gathering expressive powers on the way.

For further advice on the French language, singers are warmly encouraged to read Pierre Bernac's invaluable *The Interpretation of French Song* (New York, W. W. Norton, 1978), pp. 11–31.

Interpretation

Again, only the briefest of hints can be given here, but I am glad to take the opportunity to ride a favourite hobby horse, namely that the French *mélodie* can be every bit as dramatic, passionate, moving and meaningful as the German *Lied* and is in no way a poor relation, to be brought out as an act of charity into the company of its betters.

But to give the best of the *mélodies* their due, singers must think about what they are singing with all the concentration they would give to a song by Schubert or Wolf.

It goes without saying that singers must understand every nuance of the text. It can also be helpful to practise declaiming the poem in a variety of speeds and styles in order to find out what it can be made to yield. From here it is a short step to learning the poem off by heart. No doubt singers will already have a good idea of the musical setting, but the act of declaiming the poem without music and then comparing one's own version with the composer's brings into focus those words and phrases which the composer felt were particularly important. This can be a useful way of getting into the creative mind behind the song and so of laying a basis for the transmission of the musico/poetic message.

In the performance itself, the composer and vocal expert Reynaldo Hahn recommended that singers, while performing, should visualize the thoughts and actions of the song the tiniest bit *ahead* of what they were singing. In this way, he claimed, the surprise of the new thought would show up in the voice, helping the singer to articulate, through vocal colour, timing and pronunciation, the underlying structure and drama of the story.

If there is one general criticism to be made of English-speaking performances of French song over the years, it must be of the underlying assumption that the audience will not really understand the words anyway, so let's just make a pretty noise. It cannot be too strongly emphasized that, for the *mélodie*, 'in the beginning is the word'. Whether in a light-hearted fantasy such as Dupont's *Chanson des noisettes* (Vol. I) or in Duparc's visionary *La vie antérieure* (Vol. II), there is a tale to be told, with high points, low points, developments, parentheses, tensions and resolutions. Anyone listening to French singers – whether Charles Panzéra or Ninon Vallin, Edith Piaf or Jacques Brel – can hear at once that they are not afraid at times to sacrifice sheer beauty of tone in the cause of clearer understanding. The English-speaking singer making a bid for authenticity must be prepared to make the same sacrifice, often through bringing the vocal production further forward in the mouth; though, as I said above, without going to the extremes of spitting out consonants like so many loose teeth.

Deliberately, I say nothing about breathing, since that is a deeply personal matter, other than to make the point that too regular breaths can make life monotonous for the audience. French, being a more highly inflected language than English, can often cope more easily with what may seem on the page to be curious groupings. Obviously such a technique cannot be employed arbitrarily or without reference to the sense of the musical discourse, but it has to be admitted that in the *mélodie* in general there is a tendency towards balance and regularity which has not always served its cause well, and singers should remain alert to this.

Historical note

The body of French *mélodies* written since the 1820s is so vast that no anthology the size of the present one can hope to be fully representative of all the medium's trends and byways; I therefore make no claims to saying the last word on the subject. Nor have I included biographical notes on the composers, since these can be found in any good music dictionary.

The songs in these two volumes have been arranged chronologically according to the dates of their composers' births. It is not therefore intended that either volume, or indeed substantial extracts from either, should necessarily be sung in the printed order. But I hope to have introduced enough variety into each volume to enable singers to invent attractive groupings of their own.

It may come as a surprise to some to see how many songs are included between those of Gounod and Fauré – by some way the two French *mélodistes* of their period most often performed. It is worth noting too how constant were the themes to which French composers turned over a period of more than a hundred years: Debussy's *Mandoline* (Vol. I) is prefigured in Reber's *Guitare* (Vol. II), Chausson's *Le colibri* (I) has an ancestor in Pauline Viardot's *La mésange* (II), while Viardot's *Fleur desséchée* (I) explores much the same vein of wistful nostalgia as Poulenc's *Fleurs* (II). At the same time the different ways composers could find to set similar poems can nowhere be better exemplified than in the utterly distinct ideal worlds conjured up by Chabrier in *L'île heureuse* (I) and by Duparc in *La vie antérieure* (II).

Although all these *mélodies* would have found a ready home in Parisian salons, singers should be open to accept the operatic influences which obtrude every now and then – in Niedermeyer's seminal *Le lac* (I), as well as in *La vie antérieure* and in Paladilhe's passionate *Sonnet de Pétrarque* (II) – and should not hesitate to sing out in these instances. On the other hand gentler, more quizzical songs such as Satie's *Daphénéo* (I) or Honegger's *Automne* (II) are perhaps best performed as though to one person, with a minimum of gesture and a maximum of verbal nuance.

Throughout the texts that follow I have added the following markings (a liaison is the carrying-over of a consonant on to the initial vowel of the following word):

des âges	liaison	[dezɑːʒ]
le temps | épargne	no liaison	[lə tɑ̃ eparɲ]
jadis	consonant (s) sounded	[ʒadis]
mort exquise	consonant (t) not sounded	[mɔːr ɛkskiz]

In one or two cases the presence or absence of a liaison will depend upon the singer's choice of where to take a breath. I have established the punctuation of texts from reputable literary sources where these were available.

I am grateful to Sidney Buckland, Pascale Honegger, Graham Johnson, Jean-Michel Nectoux, Annie Neuburger and Robert Orledge for their help in the preparation of this volume and of its companion; to Robin Bowman for his advice over transpositions; to the librarian of the Royal Academy of Music, London, for sending me a copy of the autograph of Bizet's *Pastorale*; and to the personnel of the Music Department of the Bibliothèque nationale, Paris, for their usual courteous efficiency.

Roger Nichols

VORWORT

Bemerkungen zum Vortrag französischer Kunstlieder

Aussprache

Über dieses weite Thema ist es in nur wenigen Absätzen sicher unmöglich, mehr dem nichtfranzösischen Sänger zu bieten als Hinweise auf die hauptsächlichen Problematiken.

Eigentlich kann man den Klang französischer Vokale nur durchs Anhören gebürtiger Franzosen ergründen, aber die Darlegung einiger Prinzipien ist hierzu eine nützliche Ergänzung.

Besonders bekannt ist die Angst von Nichtfranzosen vor den typischen Nasalvokalen *an, en, in, on, un, ain* und so weiter. Wichtig vor allem ist das Bewußtsein, daß das *N* nicht ausgesprochen wird, sondern nur (etwa wie Akzentzeichen in einigen Sprachen, oder im Deutschen wie das *H*, das zwischen „Lot" und „loht" unterscheidet) den Vokalklang modifiziert. Das *N* soll nicht als selbständiger Klang hörbar sein, schon gar nicht mit den in germanischen Sprachen üblichen Nachhall, wo „nein" fast wie „neine" klingt.

Mit Ausnahme eines so verwendeten *N* sind Konsonanten, die nicht am Schluß eines Wortes stehen (dazu anschließend mehr), nicht zu unterschlagen. Die Engländer schreiben „Psalmist" und sagen „Sahmist" – für einen Franzosen undenkbar!

Aber vielleicht am wichtigsten – zumindest für anglophone Sänger – ist das Bewußtsein, daß reine und gemischte Vokale nicht durch die Nähe darauffolgender Konsonanten umgefärbt werden: etwa „sou" [su] in „sourire" geht nicht dem *R*-Klang zum Schluß halb entgegen, sondern es klingt genauso wie etwa „sou" in „soutane".

Dies liegt an einem Prinzip, das immer beherzigt werden sollte – daß, mehr noch als im Deutschen, die Silben im Französischen nach Möglichkeit so gegliedert werden, daß sie mit einem Konsonanten anfangen und mit einem Vokal enden. Zum Unterschied zum Deutschen werden Doppelkonsonanten sogar beide als zur folgenden Silbe gehörig empfunden.

So groß ist der Drang des Franzosen, die Sprache als eine Folge von Silben zu artikulieren, die mit Konsonanten anfangen und mit Vokalen enden, daß Konsonanten am Ende eines Wortes meist (die Ausnahmen kennt der Franzose selbst am besten) nicht hörbar ausgesprochen werden: *fait, chez, nous, nom*; aber durch das bekannte „liaison" werden sie dann doch ausgesprochen, wenn das nächste Wort mit einem Vokal anfängt, sie ersetzen also sozusagen den

fehlenden Anfangskonsonanten. Ähnlich wird ein sinnloses *T* eingesetzt, wenn man „il y a" (es gibt) in die Frageform als „y a -t-il?" umkehrt. Konsonanten müssen einfach am Anfang der Silbe her, um einen natürlichen Ausgangspunkt fürs folgende Vokal zu bilden. Die ersten Zeilen des ersten Liedes in diesem Band, zum Beispiel, lauten etwa:

> Ain-si, tou-jours pou-ssés vers de nou-veaux ri-va-ges,
> Dans la nuit é-ter-ne-llem-por-tés sans re-tour

Aber die Konsonanten sind nur der Absprung, um dann die Vokale richtig auszukosten. Der Franzose wird meist parodiert, indem die Vokale besonders lang und genüßlich ausgesprochen werden, aber in dieser Gewohnheit steckt weder Affektiertheit noch Extravaganz, geschweige denn Humor; wenn ein Franzose Ihre Leistung nach einem Auftritt ausladend als „süüpeeeerb!" bezeichnet, brauchen Sie ihn nicht für unaufrichtig oder überdreht zu halten, denn das ist seine normale Art, das Wort auszusprechen.

Während ein Engländer etwa beachten soll, daß er französische Konsonanten nicht wie in seiner englischen Muttersprache totnuschelt, muß der deutschsprachige Sänger im Gegenteil eher darauf achten, sie nicht allzu hart auszusprechen; obwohl nicht so sehr wie im Italienischen, ist immer etwas leicht Federndes darin, eben der Absprung in den nächsten Vokalklang. Der Nichtfranzose hat die Aufgabe, einen Mittelweg zu finden, bei dem er in der Aussprache weder zu gleichgültig noch zu preziös klingt. Wie in den meisten Kunstbestrebungen, soll der Zuhörer, ohne zu ahnen, mit wieviel Sorgfalt die sprachliche Beredtheit angeeignet wurde, nur das Ergebnis spüren. Der Idealfall wäre etwa wie bei dem großen französischen Liedsänger Charles Panzéra, von dem bei aller vorbildlichen Deutlichkeit des Vortrags ein Kritiker einst meinte, er müßte ziemlich viel in der Welt herumgekommen sein und dabei Ausdruckskraft gesammelt haben.

Interpretation

Auch hier reicht es kaum zu mehr als zu den kürzesten Hinwesen, aber ich möchte ein besonderes Anliegen von mir gern aufgreifen, nämlich, daß das französische Kunstlied, *mélodie* genannt, durchaus genauso dramatisch, mitreißend und tiefsinnig wie das deutsche sein kann und keineswegs als dessen armer Verwandter gelten muß, denn man gleichsam aus Mitleid ab und zu bei den feineren Leuten verkehren läßt. Freilich, um den *mélodies* gerecht zu werden, muß der Sänger sich genauso mit dem Inhalt auseinandersetzen und sie mit derselben Intensität vortragen, die er für die Lieder von Schubert oder Wolf aufbringt.

Es braucht nicht betont zu werden, daß man den Text inhaltlich genauestens begreifen muß. Es mag weiterhelfen, das Gedicht in verschiedenster Weise und in verschiedenem Tempo immer wieder aufzusagen, um zu erahnen, was man aus ihm herausholen kann. Von da ist es ein kurzer Schritt, bis man es memoriert hat. Wohl wird der Sänger bereits eine Ahnung von den Vertonung haben, aber die Erfahrung, den Text immer wieder aufgesagt zu haben, um dann das eigene Verständnis mit dem des Komponisten zu vergleichen, kann einen auf die Spur jener Stellen und Schattierungen bringen, auf die der Komponist selbst sensibilisiert war. So läßt sich der schöpferische Geist hinter einem Lied aufspüren, wodurch eine Grundlage für die Vermittlung künstlerischer Inhalte gegeben wird.

Beim Vortrag selbst empfahl der Komponist und Aufführungsfachkundige Reynaldo Hahn, daß der Sänger unterm Singen immer die Gedanken und den Inhalt des Liedes eine Spur *voraus* im Kopf haben solle. Auf diese Weise Käme ein Hauch von Überraschung in den Vortrag, was sich auf Vokalfärbung, Aussprache und „Timing" auswirkt und so die Darstellung von Aufbau und dramatischen Inhalt fördert.

Der französische Kunstliedvortrag in nichtfranzösischen Ländern hat wohl – das läßt sich als allgemeines Kriterium feststellen – lange Zeit unter der falschen Annahme gelitten, daß man, da die Zuhörer den Text ohnehin nicht verstehen, sich darauf beschränken könne, lediglich exquisite Klänge zu produzieren. Auch bei einer *mélodie* gilt, man kann es gar nicht zu oft sagen, „Am Anfang steht das Wort". Ob nun bei einem leichtfüßigen Geistesblitz wie dem *Chanson des noisettes* von Dupont im ersten Band, oder bei der visionären *La vie antérieure* von Duparc im zweiten – es gilt, eine Geschichte zu erzählen, mit Höhepunkten, mit Schattenstellen, Entwicklungen, Anspielungen, Spannungen und Entschiedenheiten. Beim Anhören eines jeden Sängers französischer Zunge, von Charles Panzéra oder Ninon Vallin bis hin zu Edith Piaf oder Jacques Brel, immer merkt man sofort, daß sie zuweilen bereit sind, auf Kosten des reinen Schönklangs die deutliche Mitteilung anzustreben. Der nichtfranzösische Sänger, der gattungstreu vortragen will, muß zum selben Opfer bereit sein. Oft wird dies dadurch erreicht, daß er den Sitz der Stimme weiter als sonst in den Mund hinauf verlegen muß – obwohl er, wie gesagt, sich hüten muß, dabei Konsonanten quasi wie ausgeschlagene Zähne herauszuspucken.

Ich habe bewußt nichts übers Atmen gesagt, da dies doch sehr die Sache des einzelnen Sängers ist. Allenfalls möchte ich darauf hinweisen, daß allzu regelmäßiges Luftholen auf die Zuhörer ermüdend wirken kann. Aufgrund der besonders hochentwickelten Sprachmelodie verkraftet das Französische selbst Aufteilungen der Linien, die an sich seltsam vorkommen mögen. Freilich muß man darauf achten, nicht willkürlich dabei dem Textsinn oder dem musikalischen Vortrag Gewalt anzutun, jedoch muß eingeräumt werden, daß grundsätzlich im französischen Kunstlied eine gewisse Tendenz zu Ausgewogenheit und Gleichgewicht aufgekommen ist, die nicht immer der Sache förderlich wirkt. Der Sänger sollte dieser Gefahr ständig Rechnung tragen.

Deutscher Text übersetzt und adaptiert von Peter Hutchinson

Historische Anmerkung

Die Zahl der französischen *mélodies*, die seit den 1820er Jahren komponiert worden sind, ist so groß, daß keine Anthologie vom Umfang der vorliegenden hoffen kann, sämtliche Trends und Nebenaspekte des Mediums wirklich repräsentativ darzustellen; ich erhebe deshalb auch keinen Anspruch darauf, zu diesem Thema

das letzte Wort zu haben. Des weiteren habe ich keine biographischen Angaben über die Komponisten mit aufgenommen, da diese in jedem guten Musiklexikon zu finden sind.

Die in den zwei Bänden enthaltenen Lieder wurden chronologisch nach dem Geburtsdatum ihrer Komponisten geordnet. Es ist demnach nicht vorgesehen, daß ein ganzer Band oder auch nur längere Auszüge daraus unbedingt in der gedruckten Reihenfolge gesungen werden. Immerhin aber hoffe ich, daß ich in jedem Band für genügend Abwechslung gesorgt habe, um Sänger dazu zu befähigen, selbst attraktive Zusammenstellungen vorzunehmen.

Es mag den einen oder anderen überraschen, wieviele Lieder zwischen denen von Gounod und Fauré stehen – den mit Abstand am häufigsten aufgeführten französischen *mélodistes* ihrer Zeit. Davon abgesehen lohnt es sich, festzustellen, wie konstant die Themen waren, denen sich französische Komponisten in einem Zeitraum von über hundert Jahren immer wieder zugewandt haben: Auf Debussys *Mandoline* (Band I) deutet Rebers *Guitare* (Band II) voraus, Chaussons *Le colibri* (I) hat einen Vorläufer in Pauline Viardots *La mésange* (II), und Viardots *Fleur desséchée* (I) lotet im wesentlichen die gleiche Atmosphäre wehmütiger Nostalgie aus wie Poulencs *Fleurs* (II). Zugleich lassen sich die verschiedenen Mittel und Wege, die Komponisten gefunden haben, um ähnliche Gedichte zu vertonen, nirgends besser veranschaulichen als in den ganz und gar unterschiedlichen idealen Welten, die Chabrier in *L'île heureuse* (I) und Duparc in *La vie antérieure* (II) heraufbeschworen haben.

Obwohl alle diese *mélodies* in den Pariser Salons freundliche Aufnahme gefunden hätten, empfiehlt es sich für Sänger, gegenüber den Einflüssen der Oper aufgeschlossen sein, die sich hin und wieder aufdrängen – in Niedermeyers vorbildlichem *Le lac* (I) ebenso wie in *La vie antérieure* und in Paladilhes leidenschaftlichem *Sonnet de Pétrarque* (II) –, und sie sollten nicht zögern, in diesen Fällen die Stimme zu erheben. Andererseits klingen sanftere, eigenwilligere Lieder wie Saties *Daphénéo* (I) oder Honeggers *Automne* (II) möglicherweise dann am besten, wenn sie aufgeführt werden, als solle eine bestimmte Person angesprochen werden, mit einem Mindestmaß an Gestikulation und einem Höchstmaß an verbaler Nuancierung.

In den nachstehenden Texten habe ich durchweg folgende Kennzeichnungen vorgenommen (unter Liaison ist die Bindung eines Konsonanten mit dem Anfangsvokal des folgenden Wortes zu verstehen):

des‿âges	Liaison	[dezɑːʒ]
le temps | épargne	keine Liaison	[lə tɑ̃ epɑrɲ]
jadis	Konsonant (s) ausgesprochen	[ʒadis]
mort͜ exquise	Konsonant (t) unausgesprochen	[mɔːr ɛkskiz]

In ein oder zwei Fällen hängt das Vorkommen bzw. Nichtvorkommen einer Liaison davon ab, welche Stelle der Sänger zum Atemholen wählt. Ich habe die Interpunktion der Texte aus verläßlichen literarischen Quellen übernommen, soweit diese verfügbar waren.

Der Herausgeber dankt Sidney Buckland, Pascale Honegger, Graham Johnson, Jean-Michel Nectoux, Annie Neuburger und Robert Orledge für ihre redaktionelle Mitarbeit an den beiden Bänden dieser Serie, Robin Bowman für seine Ratschläge hinsichtlich der Transpositionen, dem Archivar der Royal Academy of Music in London für die Zusendung einer Kopie des Autographs von Bizets *Pastorale* und dem Personal der Musikabteilung der Bibliothèque nationale, Paris, für seine übliche zuvorkommende Tüchtigkeit.

Roger Nichols
Übersetzung: Anne Steeb/Bernd Müller

The Lake

Louis Niedermeyer (1802–1861)
Text: Alphonse de Lamartine (1790–1869)
(Of the 16 stanzas of the original poem,
Niedermeyer chose Nos. 1, 2, 3, 4, 13 and 16)

Ever impelled onward as we are towards
new shores, swept along ineluctably in the
everlasting night, shall we never for a single
day cast anchor on the ocean of the ages?

O lake! the year has barely run its course,
and near the cherished waves she was to
have seen once more, look! I come alone
to sit on that stone where you saw her sit!

You roared like this beneath these deep-
set rocks; like this you broke upon their
pitted flanks: like this the wind hurled
the spray of your waves at her beloved feet.

One evening, do you recall? we were
wandering along in silence; nothing could
be heard, on the water and in the air,
except far off the noise of the oarsmen
rhythmically striking your lapping waves.

O lake! silent rocks! caves and dark forest!
You whom time spares or whom it can
rejuvenate, keep, lovely Nature, at least
the memory of that night!

May the groaning wind, the sighing reed,
the gentle perfumes of your scented air,
may everything that can be heard or seen
or breathed, may everything say: 'They
were lovers!'

Le lac

Louis Niedermeyer (1802–1861)
Texte : Alphonse de Lamartine (1790–1869)
(Sur les 16 strophes du poème original,
Niedermeyer a choisi les n°s 1,2, 3, 4, 13 et 16)

Ainsi, toujours poussés vers de nouveaux
rivages,
Dans la nuit éternelle emportés sans retour,
Ne pourrons-nous jamais sur l'océan des âges
Jeter l'ancre un seul jour ?

Ô lac! l'année à peine a fini sa carrière,
Et près des flots chéris qu'elle devait revoir
Regarde! je viens seul m'asseoir sur cette
pierre
Où tu la vis s'asseoir!

Tu mugissais ainsi sous ces roches profondes ;
Ainsi tu te brisais sur leurs flancs déchirés :
Ainsi le vent jetait l'écume de tes ondes
Sur ses pieds adorés.

Un soir, t'en souvient-il ? nous voguions en
silence ;
On n'entendait au loin, sur l'onde et sous
les cieux,
Que le bruit des rameurs qui frappaient en
cadence
Tes flots harmonieux.

Ô lac! rochers muets! grottes! forêt | obscure!
Vous que le temps | épargne ou qu'il peut
rajeunir,
Gardez de cette nuit, gardez, belle nature,
Au moins le souvenir!

Que le vent qui gémit, le roseau qui soupire,
Que les parfums légers de ton air embaumé,
Que tout ce qu'on entend, l'on voit ou l'on
respire,
Tout dise : « Ils ont aimé! »

Der See

Louis Niedermeyer (1802–1861)
Text: Alphonse de Lamartine (1790–1869)
(Unter den 16 Strophen der Gedichtvorlage
hat Niedermeyer Nrn. 1, 2, 3, 4, 13
und 16 ausgewählt)

Also sollen wir, immer vorwärts getrieben
zu neuen Ufern, in ewiger Nacht mit-
gerissen ohne Wiederkehr, auf dem Ozean
der Zeiten keinen einzigen Tag den Anker
auswerfen?

O See! Das Jahr hat kaum seinen Lauf
genommen, und in die Nähe der geliebten
Fluten, die sie hätt wiedersehen sollen,
komm – siehe! – ich allein, um mich zu
setzen auf den Stein, wo du sie sitzen sahst!

So rauschtest du schon damals unter die
tiefliegenden Felsen; so brachst du dich an
ihren verwitterten Flanken: So warf ihr der
Wind den Schaum deiner Wogen vor die
geliebten Füße.

Eines Abends – erinnerst du dich? –
gingen wir schweigend dahin; nichts war
zu hören auf dem Wasser und in der Luft,
außer von fern die Laute der Ruderer, die
im Takt deine harmonisch plätschernden
Wogen schlagen.

O See! Schweigende Felsen! Höhlen!
Dunkler Wald! Liebliche Natur, die die
Zeit verschont, die sie gar verjüngen kann,
bewahre diese Nacht, bewahre wenigstens
die Erinnerung an sie!

Mögen der ächzende Wind, das seufzende
Schilf, die zarten Düfte deiner wohl-
riechenden Luft und alles, was gehört,
gesehen, geatmet werden kann, möge dies
alles sagen: „Sie waren verliebt!"

Absence

Hector Berlioz (1803–1869)
Text: Théophile Gautier (1811–1872)
(Of the 8 stanzas of the original poem,
Berlioz chose Nos. 1, 2 and 3)

Return, return, my beloved! Like a flower
far from the sunlight, the flower of my life
is closed far from your crimson smile.

What a distance between our hearts! So
much space between our kisses! O bitter
fate! O grievous absence! O great the
desires unassuaged!

Return etc.

Between us two how much countryside,
how many towns and hamlets, how many
valleys and mountains, enough to tire the
horses!

Return etc.

Absence

Hector Berlioz (1803–1869)
Texte : Théophile Gautier (1811–1872)
(Sur les 8 strophes du poème original,
Berlioz a choisi les n°s 1,2 et 3)

Reviens, reviens, ma bien-aimée ;
Comme une fleur loin du soleil,
La fleur de ma vie est fermée
Loin de ton sourire vermeil.

Entre nos cœurs quelle distance !
Tant d'espace entre nos baisers !
Ô sort amer ! ô dure absence !
Ô grands désirs inapaisés !

Reviens, etc.

D'ici là-bas, que de campagnes,
Que de villes et de hameaux,
Que de vallons et de montagnes,
À lasser le pied des chevaux !

Reviens, etc.

Abwesenheit

Hector Berlioz (1803–1869)
Text: Théophile Gautier (1811–1872)
(Unter den 8 Strophen der Gedichtvorlage
hat Berlioz Nrn. 1, 2 und 3 ausgewählt)

Kehre zurück, kehre zurück, meine innig
Geliebte! Wie eine Blume fernab von der
Sonne ist die Blume meines Lebens
geschlossen, fernab von deinem leuchtend
roten Lächeln.

Welche Distanz zwischen unseren Herzen!
Soviel Abstand zwischen unseren Küssen!
O bitteres Schicksal! O schmerzliche
Abwesenheit! O große ungestillte
Sehnsüchte!

Kehre zurück usw.

Von hier bis dort wieviel Land, wie viele
Städte und Weiler, wie viele Täler und
Berge, um den Fuß der Pferde ermatten
zu lassen!

Kehre zurück usw.

O my rebellious Beauty

Charles Gounod (1818–1893)
Text: Jean-Antoine de Baïf (1532–1589)

O my rebellious Beauty, alas, how cruel
you are to me, either when with a sweet
smile stealing my spirits, or with a single
seductively gentle word, or with a proudly
graceful glance, or with an utterly divine,
celestial gesture you plunge all my heart
into amorous ardour.

O my rebellious Beauty, alas, how cruel
you are to me, when the burning passion
that consumes me makes me ask of you the
balm of a single kiss upon its mighty fire.

O my rebellious Beauty, alas, how cruel
you are to me, when you will not console
me with a little kiss.

Hard-hearted girl! May I one day avenge
your injury, may my little master Love
enter you one day and may he make you
sigh with love for me, as he has made me
sigh with love for you.

Then through my vengeance shall you know
the harm a lover does by refusing a kiss.

Ô ma belle rebelle

Charles Gounod (1818–1893)
Texte : Jean-Antoine de Baïf (1532–1589)

Ô ma belle rebelle,
Las ! que tu m'es cruelle,
Ou quand d'un doux souris
Larron de mes esprits,

Ou quand d'une parole
Mignardètement molle,
Ou quand d'un regard d'yeux
Fièrement gracieux,

Ou quand d'un petit geste
Tout divin, tout céleste,
En amoureuse ardeur
Tu plonges tout mon cœur.

Ô ma belle rebelle,
Las ! que tu m'es cruelle,
Quand la cuisante ardeur
Qui me brûle le cœur

Fait que je te demande
À sa brûlure grande
Un rafraîchissement
D'un baiser seulement.

Ô ma belle rebelle!
Las ! que tu m'es cruelle
Quand d'un petit baiser
Tu ne veux m'apaiser.

Me puissé-je un jour, dure !
Venger de ton injure,
Mon petit maître Amour
Te puisse entrer un jour

Et pour moi langoureuse
Il te fasse amoureuse,
Comme il m'a langoureux
Pour toi fait amoureux.

Alors par ma vengeance
Tu auras connaissance,
Quel mal fait du baiser
Un amant refuser.

O meine rebellische Schöne

Charles Gounod (1818–1893)
Text: Jean-Antoine de Baïf (1532–1589)

O meine rebellische Schöne, wehe, wie
grausam du zu mir bist, wenn du mit
süßem Lächeln mir den Mut nimmst oder
mit einem aufreizend sanften Wort, einem
stolz anmutigen Blick deiner Augen, einer
vollends göttlichen, vollends himmlischen
kleinen Geste in Liebesglut versenkst
mein ganzes Herz.

O meine rebellische Schöne, wehe, wie
grausam du zu mir bist, wenn die
brennende Leidenschaft, die mir das Herz
versengt, mich von dir verlangen läßt, daß
du seine große Wunde kühlst mit einem
einzigen Kuß.

O meine rebellische Schöne, wehe, wie
grausam du zu mir bist, wenn du mich
nicht besänftigen magst mit einem
kleinen Kuß.

Ach, könnte ich dir, Hartherzige, eines
Tages deine Verletzungen heimzahlen,
könnte Amor, mein kleiner Gebieter, eines
Tages in dich fahren und dich schmachten
lassen vor Liebe zu mir, wie er mich hat
schmachten lassen vor Liebe zu dir.

Dann sollst du durch meine Vergeltung
erfahren, wie schädlich es ist, dem
Liebenden einen Kuß zu verweigern.

Pressed flower

Pauline Viardot (1821–1910)
Text: Alexander Pushkin (1799–1837)
translated into French from the Russian
by L. Pomey

In this old book you have been forgotten,
scentless, colourless flower, but, when I see
you, a strange reverie fills my heart.

What day, what place witnessed your
birth? What was your fate? Who plucked
you? Who can tell, perhaps I knew them,
those whose love preserved you!

Withered rose, did you recall the first
moment or the farewells? The conversations
in the meadow or in the silent wood?

Is he still alive? Does she exist? On what
branches do their nests sway? Or like you,
who were so beautiful, are their charming
brows withered?

Fleur desséchée

Pauline Viardot (1821–1910)
Texte : Alexandre Pouchkine (1799–1837),
traduit du russe par L. Pomey

Dans ce vieux livre l'on t'oublie,
Fleur sans parfum | et sans couleur,
Mais une étrange rêverie,
Quand je te vois, emplit mon cœur.

Quel jour, quel lieu te virent naître ?
Quel fut ton sort ? qui t'arracha ?
Qui sait ? Je les connus peut-être,
Ceux dont l'amour te conserva!

Rappelais-tu, rose flétrie,
La première heure ou les adieux ?
Les entretiens dans la prairie
Ou dans le bois silencieux ?

Vit-il encor ? existe-t-elle ?
À quels rameaux flottent leurs nids !
Ou comme toi, qui fus si belle,
Leurs fronts charmants sont-ils flétris ?

Die Trockenblume

Pauline Viardot (1821–1910)
Text: Alexander Puschkin (1799–1837)
vom Russischen ins Französische übertragen
von L. Pomey

In diesem alten Buch hat man dich
vergessen, geruchlose, farblose Blume,
doch wenn ich dich sehe, erfüllt eine
seltsame Besinnlichkeit mein Herz.

Welcher Tag, welche Stätte haben gesehen
deine Geburt? Wie war dein Schicksal?
Wer hat dich gepflückt? Wer weiß,
vielleicht habe ich sie gekannt, sie, deren
Liebe dich bewahrte! Erinnertest du, welke
Rose, an die erste Stunde oder an den
Abschied? An Unterredungen auf der Wiese
oder im stillen Wald?

Ist er noch am Leben? Existiert sie? Auf
welchen Ästen schwanken ihre Nester? Oder
sind, wie es dir ergangen, der einst so Schönen,
ihre charmanten Gesichter verwelkt?

8

If there is a charming sward

César Franck (1822–1890)
Text: Victor Hugo (1802–1885)

If there is a charming sward watered by
the sky where at every season there gleams
some flower in bloom, where lily, honey-
suckle and jasmine can be picked by the
handful, I want to make it the path on
which your foot is placed.

If there is a truly loving heart full of
honour whose firm devotion is untouched
by gloom, if at all times this noble breast
beats in a worthy cause, I want to make it
the cushion on which your forehead is
placed.

If there is a dream of love, rose-scented,
where every day some lovely thing is to be
found, a dream blessed by God, in which
two souls are united, oh! I want to make
it the nest in which your heart is placed.

Consolation

Victor Massé (1822–1884)
Text: François Malherbe (1555–1628)
(Of the 21 stanzas of Malherbe's *Consolation
à M. du Périer*, Massé chose Nos. 2, 3 and 4)

The misfortune of your daughter being
laid in the tomb by an everyday death, is
it some labyrinth in which your lost reason
cannot find its way?

I know of what charms her youth was full,
and do not propose to act the insulting
friend and ease your pain by holding that
youth to scorn.

But she belonged to the world, in which
the most beautiful things have the worst
fate; and, being a rose, she lived the life
of roses, for the space of a morning.

Ballad to the moon

Edouard Lalo (1823–1892)
Text: Alfred de Musset (1810–1857)
(Lalo chose Nos. 1, 2, 3, 4, 12, 17, 18, 19,
21, 24 and 25 of Musset's original
34 stanzas)

It was in the dark night, over the yellowed
bell tower, the moon like a dot over an *i*.

Moon, what dark spirit wanders at the end
of a thread, in the shadows, over your face
and your profile?

S'il est un charmant gazon

César Franck (1822–1890)
Texte : Victor Hugo (1802–1885)

S'il est un charmant gazon
    Que le ciel arrose,
Où brille en toute saison
    Quelque fleur éclose,
Où l'on cueille à pleine main
Lis, chèvrefeuille et jasmin,
    J'en veux faire le chemin
    Où ton pied se pose.

S'il est un cœur bien aimant
    Dont l'honneur dispose,
Dont le ferme dévouement
    N'ait rien de morose,
Si toujours ce noble sein
Bat pour un digne dessein,
    J'en veux faire le coussin
    Où ton front se pose.

S'il est un rêve d'amour
    Parfumé de rose,
Où l'on trouve chaque jour
    Quelque douce chose,
Un rêve que Dieu bénit,
Où l'âme à l'âme s'unit,
Oh ! j'en veux faire le nid
    Où ton cœur se pose.

Consolation

Victor Massé (1822–1884)
Texte : François Malherbe (1555–1628)
(Sur les 21 strophes du poème original,
Consolation à M. du Périer, Massé a choisi les
n°s 2, 3 et 4)

Le malheur de ta fille au tombeau descendue
    Par un commun trépas,
Est-ce quelque dédale où ta raison perdue
    Ne se retrouve pas ?

Je sais de quels appas son enfance était
                 pleine,
    Et n'ai pas entrepris,
Injurieux ami, de soulager ta peine
    Avecque son mépris.

Mais elle était du monde, où les plus belles
                 choses
    Ont le pire destin ;
Et rose elle a vécu ce que vivent les roses,
    L'espace d'un matin.

Ballade à la lune

Edouard Lalo (1823–1892):
Texte : Alfred de Musset (1810–1857)
(Sur les 34 strophes du poème original,
Lalo a choisi les n°s 1, 2, 3, 4, 12, 17,
18, 19, 21, 24 et 25)

C'était dans la nuit brune,
Sur le clocher jauni,
La lune,
Comme un point sur un i.

Lune, quel esprit sombre
Promène au bout d'un fil,
Dans l'ombre,
Ta face et ton profil ?

Wenn es einen bezaubernden Rasen gibt

César Franck (1822–1890)
Text: Victor Hugo (1802–1885)

Wenn es einen bezaubernden Rasen gibt,
den der Himmel benetzt, wo zu jeder
Jahreszeit eine blühende Blume schimmert,
wo man eine Handvoll Lilien, Geißblatt
und Jasmin pflücken kann, will ich daraus
den Pfad machen, den dein Fuß beschreitet.

Wenn es ein wahrhaft liebendes Herz
voller Ehre gibt, dessen entschlossene
Hingabe keine Verstimmung kennt, wenn
dieser edle Busen stets für ein würdiges
Anliegen schlägt, will ich daraus das
Kissen machen, auf das deine Stirn sich
bettet.

Wenn es einen rosenduftenden Liebes-
traum gibt, in dem man jeden Tag etwas
Angenehmes findet, einen von Gott
gesegneten Traum, in dem sich zwei
Seelen vereinen, will ich daraus – oh! – das
Nest machen, in das sich dein Herz
niederlegt.

Trost

Victor Massé (1822–1884)
Text: François Malherbe (1555–1628)
(Unter den 21 Versen von Malherbes
Consolation a M. du Périer hat Massé die
Nrn. 2, 3 und 4 ausgewählt)

Das Unglück, das deine Tochter einen
gewöhnlichen Tod sterben ließ und sie ins Grab
verbannte, ist es ein Labyrinth, aus dem dein
verirrter Verstand den Weg nicht findet?

Ich weiß, mit welchen Verlockungen ihre
Jugend erfüllt war, und gedenke nicht,
den beleidigenden Freund zu spielen und
deinen Schmerz zu lindern, indem ich sie
verächtlich mache.

Doch sie gehörte der Welt an, in der die
schönsten Dinge das schlimmste Schicksal
erleiden; und da sie eine Rose war, lebte
sie wie die Rosen nur einen Morgen lang.

Ballade an den Mond

Edouard Lalo (1823–1892)
Text: Alfred de Musset (1810–1857)
(Lalo hat unter den 34 Strophen von
Mussets Original Nrn. 1, 2, 3, 4, 12, 17,
18, 19, 21, 24 und 25 ausgewählt)

Es war in der finsteren Nacht über dem
gelblichen Glockenturm der Mond wie ein
Punkt über einem *i*.

Mond, welcher finstere Geist spaziert am
Ende eines Fadens im Schatten über dein
Antlitz und Profil?

Are you the eye of the one-eyed heavens?
What sanctimonious cherub glares at us
beneath your pale mask?

Are you nothing but a ball, a large, portly
harvest-spider rolling along without feet
or arms?

Give us back the huntress, Diana of the
maiden breast, chasing some stag in the
morning:

Phoebe who, when night is over, comes
to rest on the lips of a shepherd, like a
delicate bird.

Moon, the history of your noble loves will
ever adorn you, in our memory, and ever
rejuvenated you will be blessed by the
traveller, whether you are full or waxing.

The pilot will love you in his mighty craft,
floating under the clear firmament!

And whether it blows or snows, I myself
every evening, what am I doing coming to
seat myself here?

I come to see, in the darkness, over the
yellowed bell tower, the moon, like a dot
over an *i*!

Es-tu l'oeil du ciel borgne ?
Quel chérubin cafard
Nous lorgne
Sous ton masque blafard ?

N'es-tu rien qu'une boule ?
Qu'un grand faucheux bien gras
Qui roule
Sans pattes et sans bras ?

Rends-nous la chasseresse,
Diane, au sein virginal,
Qui presse
Quelque cerf matinal !

Phoebé qui, la nuit close,
Aux lèvres d'un berger
Se pose,
Comme un oiseau léger.

Lune, en notre mémoire,
De tes belles amours
L'histoire
T'embellira toujours.

Et toujours rajeunie,
Tu seras du passant
Bénie,
Pleine lune ou croissant.

T'aimera le pilote
Dans son grand bâtiment,
Qui flotte,
Sous le clair firmament !

Et qu'il vente ou qu'il neige,
Moi-même chaque soir,
Que fais-je,
Venant ici m'asseoir ?

Je viens voir à la brune,
Sur le clocher jauni,
La lune,
Comme un point sur un i !

Bist du das Auge des einäugigen
Himmels? Welcher scheinheilige Cherub
beäugt uns verstohlen unter deiner
bleichen Maske?

Bist du nichts als ein Ball, eine große,
dicke Spinne, die einherrollt ohne Beine
und ohne Arm?

Gib uns die Jägerin wieder, Diana mit
dem jungfräulichen Busen, die jagt einen
frühmorgendlichen Hirsch!

Phöbe, die sich am Ende der Nacht auf
den Lippen eines Hirten niederläßt wie ein
leichter Vogel.

Mond, in unserer Erinnerung wird dich
die Geschichte deiner edlen Leidenschaften
immer schmücken.

Und ewig verjüngt wirst du vom
Wanderer gesegnet, sei es als Voll- oder
Halbmond.

Lieben wird dich der Lotse in seinem
mächtigen Schiff, das dahingleitet unterm
wolkenlosen Firmament!

Und was tu ich selbst jeden Abend, ob es
nun bläst oder schneit, daß ich komme,
um mich hierher zu setzen?

Ich komm, um zu sehen im Dunkeln über
dem gelblichen Glockenturm den Mond,
wie ein Punkt auf einem *i*!

Serenity

Camille Saint-Saëns (1835–1921)
Text: Marie Barbier

I am the unalterable image of peaceful
eternity: without beginning and without
age, my name is Serenity.

In vain hour follows hour; the wave rolls
on without touching me; everything is
transient, everything passes and I remain
in my cold immortality.

Nothing troubles me on my path; I
proceed without a smile and without tears;
I have never known joy, I have never
known sadness.

Sufferings and pleasures without number
flow plentifully from the sky, whether
light or dark, without a ray or a shadow
ever altering my pallor.

La sérénité

Camille Saint-Saëns (1835–1921)
Texte : Marie Barbier

Je suis l'inaltérable image
De la paisible éternité :
Sans commencement et sans âge,
J'ai pour nom la Sérénité.

En vain l'heure succède à l'heure ;
Le flot coule sans qu'il m'effleure ;
Tout fuit, tout passe et je demeure
Dans ma froide immortalité.

Rien ne me trouble dans ma voie ;
Je vais sans sourire et sans pleurs ;
Je n'ai jamais connu la joie,
Je ne connais pas la douleur.

Les maux et les plaisirs sans nombre
S'épanchent du ciel clair ou sombre
Sans qu'un rayon ou sans qu'une ombre,
Altère jamais ma pâleur !

Gelassenheit

Camille Saint-Saëns (1835–1921)
Text: Marie Barbier

Ich bin das unveränderliche Bild
friedfertiger Ewigkeit: ohne Anfang und
ohne Alter, Gelassenheit lautet mein Name.

Nutzlos folgt Stunde auf Stunde; die Woge
läuft aus, ohne mich zu berühren; alles ist
vergänglich, alles geht vorüber und ich
verharre in meiner kalten Unsterblichkeit.

Nichts behindert mich auf meinem Weg; ich
schreite aus ohne ein Lächeln und ohne
Tränen; niemals habe ich Freude gekannt und
auch den Schmerz habe ich nicht gekannt.

Leiden und Freuden ohne Zahl ergießen
sich vom hellen oder dunklen Himmel,
ohne daß ein Sonnenstrahl oder ein
Schatten je meine Blässe verändert.

Spanish Song

Léo Delibes (1836–1891)
Text based on a poem by
Alfred de Musset (1810–1857)
The words are a free adaptation of the first
stanza of Musset's posthumously published
poem *Les filles de Madrid*

We've just been to see the bullfight, three
lads and three girls. It was lovely on the
grass and we danced a bolero to the sound
of castanets.

'Tell me, my friend, whether I look well
and whether my skirt is all right this
morning. Do you think my figure is
shapely?' Ah! That is what the girls of
Cadiz like.

And we were dancing a bolero one Sunday
evening, when along came a hidalgo
rolling in wealth, a feather in his hat and
his hand on his hip.

'If you're interested in me, brunette with
the gentle smile, you have only to say so
and this gold is yours.' 'On your way, fine
sir!' Ah! That's not what the girls of Cadiz
have in mind.

And we were dancing a bolero at the foot
of the hill. Along came Diego whose only
possessions are a cloak and a mandolin:

'Beauty with the gentle eyes, do you want
to be led off to the church tomorrow by a
jealous lover?' 'Jealous! Jealous! What
nonsense!' Ah! That's a shortcoming the
girls of Cadiz are afraid of.

Pastoral

Georges Bizet (1838–1875)
Text: Jean-François Regnard (1655–1709)

One spring day, Colin goes all the way
through the orchard singing, to soothe his
unhappiness: 'My shepherdess, let me take
a tender kiss!'

The lovely girl at once replies to her
shepherd: 'You want to steal a kiss with
your singing? No, Colin, do not take it...
I shall give it to you!'

Chanson espagnole

Léo Delibes (1836–1891)
Texte fondé sur un poème
d'Alfred de Musset (1810–1857)
Les paroles sont une adaptation libre de la
première strophe d'un poème de Musset
publié à titre posthume, *Les filles de Madrid*

Nous venions de voir le taureau,
　　　　　Trois garçons, trois fillettes.
Sur la pelouse il faisait beau,
Et nous dansions un boléro
　　　　　Au son des castagnettes.

« Dites moi, voisin,
Si j'ai bonne mine,
Et si ma basquine
Va bien, ce matin.
Vous me trouvez la taille fine ? »
Ah! Les filles de Cadix aiment assez cela.

Et nous dansions un boléro
　　　　　Un soir, c'était dimanche.
Vers nous s'en vint un hidalgo
Cousu d'or, la plume au chapeau
　　　　　Et le poing sur la hanche :

« Si tu veux de moi,
Brune au doux sourire,
Tu n'as que le dire,
Cet or est à toi. »
« Passez votre chemin, beau sire ! »
Ah! Les filles de Cadix n'entendent pas cela.

Et nous dansions un boléro
　　　　　Au pied de la colline.
Sur le chemin passait Diégo
Qui pour tout bien n'a qu'un manteau
　　　　　Et qu'une mandoline :

« La belle aux doux yeux,
Veux-tu qu'à l'église
Demain te conduise
Un amant jaloux ? »
« Jaloux, jaloux, quelle sottise ! »
Ah ! Les filles de Cadix craignent ce défaut-là.

Pastorale

Georges Bizet (1838–1875)
Texte : Jean-François Regnard (1655–1709)

Un jour de printemps,
Tout le long d'un verger
Colin va chantant,
Pour ses maux soulager :
« Ma bergère, ma bergère,
Tra la la la la,
Laisse-moi, laisse-moi prendre un tendre
　　　　　　　baiser !
Oh ! laisse-moi, ma bergère, prendre un
　　　　　　　tendre baiser ! »

La belle, à l'instant,
Répond à son berger :
« Tu veux, en chantant,
Un baiser dérober ?...
Non, Colin, non, Colin,
Tra la la la la,
Tu voudrais, en chantant, prendre un tendre
　　　　　　　baiser ?...
Non, Colin, ne le prends pas... Je vais te le
　　　　　　　donner ! »

Spanisches Lied

Léo Delibes (1836–1891)
Nach einem Gedicht von
Alfred de Musset (1810–1857)
Der Text ist eine freie Bearbeitung der
ersten Strophe von Mussets postum ver-
öffentlichtem Gedicht *Les filles de Madrid*

Wir kamen, den Stierkampf zu sehen, drei
Burschen und drei Mädchen. Es war schön
dort auf dem Rasen, und wir tanzten beim
Klang der Kastagnetten einen Bolero.

„Sage mir, Nachbar, ob ich gut aussehe und
ob mein Rock richtig sitzt heute morgen.
Findest du meine Figur wohlgeformt?"
Ah! So haben sie es gern, die Mädchen von
Cadiz.

Und wir haben einen Bolero getanzt, eines
Abends, es war ein Sonntag. Da näherte
sich uns ein steinreicher Hidalgo, eine
Feder am Hut und die Hand in die Hüfte
gestützt:

„Wenn du mich willst, Brünette mit dem
süßen Lächeln, brauchst du es nur zu
sagen, und dieses Gold gehört dir."
„Schert euch fort, edler Herr!" Ah! Danach
steht den Mädchen von Cadiz nicht der
Sinn.

Und wir tanzten einen Bolero am Fuße des
Hügels. Da kam Diego des Weges, der
nicht mehr besitzt als einen Umhang und
eine Mandoline:

„Du Schöne mit den lieblichen Augen,
willst du, daß dich morgen zum Traualter
führt ein eifersüchtig Liebender?"
„Eifersüchtig! Eifersüchtig, welche
Torheit!" Ah! Die Mädchen von Cadiz
fürchten so eine Schwäche.

Pastorale

Georges Bizet (1838–1875)
Text: Jean-François Regnard (1655–1709)

Eines Tages im Frühling durchquerte
Colin der Länge nach den Obstgarten und
sang, um seinen Kummer zu lindern:
„Meine Schäferin, laß mich nehmen einen
zärtlichen Kuß!"

Drauf antwortet die Schöne sogleich ihrem
Schäfer: „Du willst mit deinem Gesang
einen Kuß stehlen? ... Nein, Colin, nimm
ihn mir nicht ... ich will ihn dir geben!"

Spanish Night

Jules Massenet (1842–1912)
Text: Louis Gallet

The air is balmy, the night is serene and
my soul is full of happy thoughts; come!
O beloved, this is the moment of love!

Into the deep woods, where the flowers are
sleeping, where the springs are singing, let
us quickly escape! See, the moon is bright
and smiles at us in the sky.

Indiscreet eyes are no longer to be feared,
come! my beloved, dark night obscures
your blushing forehead! The night is
serene, bring peace to my heart, come!
my beloved, it is the time of love!

In the dark blue sky the pale stars shed
their veils to see you pass by. Come!
O beloved, this is the moment of love!

I saw your gauze curtain half open, you
hear me, cruel one, and you do not come!
See, the road is dark beneath the inter-
twining branches.

Gather the years of your youth in their
splendour, come! time is short, one day
removes the leaves from the flowers of
spring! The night is serene etc.

The Happy Isle

Emmanuel Chabrier (1841–1894)
Text: Ephraïm Mikhaël (1866–1890)

In the bay with its shady gardens blond
pairs of happy lovers have decorated with
flowers the slowly swaying masts of your
galley, and, caressed by gentle summer,
our beautiful enchanted boat, heading
towards the lands of delight, cleaves the
clear water.

See, we are the rulers of shining watery
deserts, on the waves, enraptured and
serene, let us cradle our dreams! Your pale
hands have the power to perfume from afar
the evening air, and in your eyes I seem to
see again the sky of the shores!

Nuit d'Espagne

Jules Massenet (1842–1912)
Texte : Louis Gallet

L'air est embaumé,
La nuit | est sereine
Et mon âme est pleine
De pensers joyeux ;
Viens! ô bien aimée,
Voici l'instant de l'amour !

Dans les bois profonds,
Où les fleurs s'endorment,
Où chantent les sources,
Vite enfuyons-nous !
Vois, la lune est claire
Et nous sourit dans le ciel.

Les yeux indiscrets
Ne sont plus à craindre,
Viens! ô bien aimée,
La nuit protège ton front rougissant !
La nuit | est sereine,
Apaise mon cœur,
Viens! ô bien aimée,
C'est l'heure d'amour.

Dans le sombre azur
Les blondes étoiles
Écartent leurs voiles
Pour te voir passer,
Viens! ô bien aimée,
Voici l'instant de l'amour !

J'ai vu s'entrouvrir
Ton rideau de gaze,
Tu m'entends, cruelle,
Et tu ne viens pas !
Vois, la route est sombre
Sous les rameaux enlacés.

Cueille en leur splendeur
Tes jeunes années,
Viens ! car l'heure est brève,
Un jour effeuille les fleurs du printemps !
La nuit | est sereine, etc.

L'île heureuse

Emmanuel Chabrier (1841–1894)
Texte : Ephraïm Mikhaël (1866–1890)

Dans le golfe aux jardins ombreux,
Des couples blonds d'amants heureux
Ont fleuri les mâts langoureux
            De ta galère,
Et, caressé de doux été,
Notre beau navire enchanté
Vers des pays de volupté
            Fend l'onde claire.

Vois, nous sommes les souverains
Des lumineux déserts marins,
Sur les flots ravis et sereins
            Berçons nos rêves !
Tes pâles mains ont le pouvoir
D'embaumer au loin l'air du soir,
Et, dans tes yeux, je crois revoir
            Le ciel des grèves !

Spanische Nacht

Jules Massenet (1842–1912)
Text: Louis Gallet

Die Luft ist mild, die Nacht ist heiter und
meine Seele ist voller glücklicher Gedanken;
komm, o Geliebte, dies ist der Augenblick
der Liebe!

In den tiefen Wald, wo die Blumen
schlafen, wo die Quellen singen, laß rasch
uns entfliehen! Siehe, der Mond scheint
hell und lächelt uns zu am Himmel.

Indiskrete Blicke sind nicht mehr zu
befürchten, komm, o Geliebte, die Nacht
verhüllt deine errötende Stirn! Die Nacht
ist heiter, besänftige mein Herz, komm, o
Geliebte, dies ist die Stunde der Liebe!

Im dunklen Azur heben die hellen Sterne
ihre Schleier an, um dich vorbeigehen zu
sehen. Komm, o Geliebte, dies ist der
Augenblick der Liebe!

Ich sah, wie sich dein Gazevorhang halb
geöffnet, hörst du mich, Grausame, und
du kommst nicht! Siehe, der Weg ist
dunkel unter den verflochtenen Zweigen.

Sammle in ihrer Pracht die Jahre deiner
Jugend und komm! Denn die Zeit ist
kurz, ein Tag schon entblättert die Blüten
des Frühlings! Die Nacht ist heiter usw.

Die glückliche Insel

Emanuel Chabrier (1841–1894)
Text: Ephraïm Mikhaël (1866–1890)

In der Bucht mit den schattigen Gärten
haben hellhaarige Paare glücklich Ver-
liebter die schwankenden Masten deiner
Galeere mit Blumen geschmückt, und
vom lieblichen Sommer gestreichelt
durchpflügt unser schönes verzaubertes
Schiff unterwegs ins Land der Wollust das
klare Wasser.

Siehe, wir sind die Herrscher schim-
mernder Wasserwüsten, auf den Wogen
laß uns verzückt und heiter unsere Träume
wiegen! Deine bleichen Hände haben die
Macht, von fern die Abendluft mit
Wohlgerüchen zu erfüllen, und ich glaube
in deinen Augen wiederzusehen den
Himmel der Strände!

But over there, over there in the sunlight, out of the waves appears the beloved country with its crimson colours, from which is heard a song of awakening and joy. It is the happy isle of clear skies where, among exotic lilies, I shall sleep in the orchards, beneath your caress!

Mais là-bas, là-bas au soleil,
Surgit le cher pays vermeil
D'où s'élève un chant de réveil
    Et d'allégresse.
C'est l'île heureuse aux cieux légers
Où, parmi les lys étrangers,
Je dormirai, dans les vergers,
    Sous ta caresse !

Doch jedoch, dort im Sonnenlicht erhebt sich aus den Wogen das geliebte vergoldete Land, von dem ein Lied des Erwachens und der Freude aufsteigt. Es ist die glückliche Insel der leichten Himmel, wo ich zwischen fremdartigen Lilien in den Obstgärten schlummern werde unter deiner Liebkosung!

Serenity of the night

Emile Paladilhe (1844–1926)
Text: Louis Gallet

Sérénité de la nuit

Emile Paladilhe (1844–1926)
Texte : Louis Gallet

Heiterkeit der Nacht

Emile Paladilhe (1844–1926)
Text: Louis Gallet

Tremble in the sky, pale star, and on the waters scatter your diamonds and discreetly shine on the mystery dear to the lips of lovers.

Tremble au ciel, étoile blonde,
    Et sur l'onde
  Égrène tes diamants,
Et discrètement éclaire
    Le mystère
Cher aux lèvres des amants.

Zittre am Himmel, blasser Stern, auf dem Wasser verstreue deine Diamanten und beleuchte diskret das Geheimnis, das den Lippen der Liebenden teuer ist.

Sprinkle, O nocturnal Venus, from your urn delicious perfumes, fill my soul and set it ablaze with the ecstasy that takes it to the heights of heaven.

Répands, répands, ô Vénus nocturne,
    De ton urne
Les parfums délicieux,
Emplis mon âme et l'embrase
    De l'extase
Qui l'entraîne au fond des cieux.

Verschütte, o nächtliche Venus, aus deiner Urne köstliche Düfte, fülle meine Seele und laß sie entflammen in Ekstase, die sie in die Höhen des Himmels versetzt.

Carried to the splendour of the Milky Way, it rises slowly, it rises with my dream, a brief hour of the purest enchantment.

Jusqu'à la splendeur lactée
    Emportée,
Elle monte lentement,
Elle monte avec mon rêve,
    Heure brève
Du plus pur ravissement.

Mitten in die Pracht der Milchstraße versetzt steigt sie langsam auf, steigt sie auf mit meinem Traum, eine kurze Stunde reinsten Entzückens.

Lydia

Gabriel Fauré (1845–1924)
Text: Charles-Marie-René
Leconte de Lisle (1818–1894)

Lydia

Gabriel Fauré (1845–1924)
Texte : Charles-Marie-René
Leconte de Lisle (1818–1894)

Lydia

Gabriel Fauré (1845–1924)
Text: Charles-Marie-René
Leconte de Lisle (1818–1894)

Lydia, over your rosy cheeks and over your neck so cool and white rolls sparkling down the flowing gold that you unbind; this day that is dawning is the best; let us forget the eternal tomb, let your dove-like kisses sing upon your blossoming lips.

Lydia, sur tes roses joues
Et sur ton col frais et si blanc,
Roule étincelant
L'or fluide que tu dénoues ;
Le jour qui luit | est le meilleur ;
Oublions l'éternelle tombe,
Laisse tes baisers de colombe
Chanter sur ta lèvre en fleur.

Lydia, über deine rosigen Wangen und über deinen kühlen und ach so weißen Hals rinnt funkelnd das flüssige Gold, das du entfesselst; der anbrechende Tag ist der beste; vergessen wir die ewige Gruft, laß deine taubengleichen Küsse singen auf deinen knospenden Lippen.

A hidden lily scatters unceasingly a divine scent in your breast; a swarm of joys radiates from you, young goddess. I love you and I die, O my love, my soul is stolen from me in kisses! O Lydia, give me back my life, so that I may always be a-dying!

Un lys caché répand sans cesse
Une odeur divine en ton sein ;
Les délices comme un essaim
Sortent de toi, jeune déesse.
Je t'aime et meurs, | ô mes amours,
Mon âme en baisers m'est ravie !
Ô Lydia, rends-moi la vie,
Que je puisse mourir toujours !

Eine verborgene Lilie verströmt unaufhörlich einen himmlischen Duft in deiner Brust; wie ein Bienenschwarm drängen die Wonnen aus dir hervor, junge Göttin. Ich liebe dich und ich sterbe, o meine Liebe, meine Seele ward mir in Küssen geraubt! O Lydia, gib mir mein Leben zurück, damit ich immer wieder zu sterben vermag!

After a dream

Gabriel Fauré (1845–1924)
Text: Romain Bussine (1830–1899)

Après un rêve

Gabriel Fauré (1845–1924)
Texte : Romain Bussine (1830–1899)

Nach einem Traum

Gabriel Fauré (1845–1924)
Text: Romain Bussine (1830–1899)

In a dream rendered charming by a vision of you, I was dreaming of happiness, a passionate illusion; your eyes were gentler, your voice pure and full, you were shining like a sky lit by the dawn.

Dans un sommeil que charmait ton image
Je rêvais le bonheur, | ardent mirage ;
Tes yeux étaient plus doux, ta voix pure et
    sonore,
Tu rayonnais comme un ciel éclairé par
    l'aurore ;

In einem durch deinen Anblick verzauberten Schlummer träumte ich vom Glück, einer heiß ersehnten Illusion; deine Augen waren sanfter, deine Stimme rein und klangvoll, du strahltest wie der Himmel, den die Morgenröte erleuchtet.

You summoned me and I left the earth to fly with you towards the light; the skies parted their clouds for us, unknown splendour, glimpses of divine gleams.

Alas! Alas, sad awakening from dreams! I beg you, O night, give me back your fallacies; return, return, O radiant, mysterious night!

Tu m'appelais | et je quittais la terre
Pour m'enfuir avec toi vers la lumière,
Les cieux pour nous | entr'ouvraient leurs
nues,
Splendeurs inconnues, lueurs
divines entrevues.

Hélas! hélas, triste réveil des songes,
Je t'appelle, ô nuit, rends-moi tes mensonges,
Reviens, reviens radieuse,
Reviens, ô nuit mystérieuse !

Du riefst mich, und ich verließ die Erde, um mit dir zu entfliehen dem Licht entgegen; die Himmel teilten uns zuliebe ihre Wolken, ungeahnter Glanz, flüchtig erspäht ein göttlicher Schimmer.

Doch wehe! Wehe, trauriges Erwachen aus dem Traum! Ich flehe dich an, o Nacht, gib mir deine Lügen wieder; kehre zurück, kehre zurück, o strahlende, geheimnisvolle Nacht!

Ecstasy
Henri Duparc (1848–1933)
Text: Jean Lahor (1840–1909)

Extase
Henri Duparc (1848–1933)
Texte : Jean Lahor (1840–1909)

Ekstase
Henri Duparc (1848–1933)
Text: Jean Lahor (1840–1909)

On a pale lily my heart sleeps a sleep as sweet as death…

Exquisite death, death scented with the breath of the beloved…

On your pale breast my heart sleeps a sleep as sweet as death…

Sur un lys pâle mon cœur dort
D'un sommeil doux comme la mort...

Mort exquise, mort parfumée
Du souffle de la bien-aimée...

Sur ton sein pâle mon cœur dort
D'un sommeil doux comme la mort...

Auf einer bleichen Lilie schläft mein Herz einen Schlaf so süß wie der Tod…

Erlesener Tod, Tod duftend vom Atem der Geliebten…

An deiner bleichen Brust schläft mein Herz einen Schlaf so süß wie der Tod…

The Hummingbird
Ernest Chausson (1855–1899)
Text: Charles-Marie-René
Leconte de Lisle (1818–1894)

Le colibri
Ernest Chausson (1855–1899)
Texte : Charles-Marie-René
Leconte de Lisle (1818–1894)

Der Kolibri
Ernest Chausson (1855–1899)
Text: Charles-Marie-René
Leconte de Lisle (1818–1894)

The green hummingbird, the king of the hills, seeing the dew and the bright sun shining in his nest woven out of slender grasses, like a quick shaft of light launches into the air.

He hurries and flies to the nearby springs where bamboos make a sound like the sea and where the red hibiscus, with its heavenly scent, opens and bears at its centre a glistening burst of light.

To the golden flower he descends, alights, and drinks so much love from within the rosy cup that he dies, not knowing whether he has drunk it dry.

Upon your pure lips, O my beloved, just so my soul would willingly have died of the first kiss that perfumed it!

Le vert colibri, le roi des collines,
Voyant la rosée et le soleil clair
Luire dans son nid tissé d'herbes fines,
Comme un frais rayon s'échappe dans l'air.

Il se hâte et vole aux sources voisines
Où les bambous font le bruit de la mer,
Où l'açoka rouge, aux odeurs divines,
S'ouvre et porte au cœur un humide éclair.

Vers la fleur dorée il descend, se pose,
Et boit tant d'amour dans la coupe rose,
Qu'il meurt, ne sachant s'il l'a pu tarir.

Sur ta lèvre pure, ô ma bien-aimée,
Telle aussi mon âme eût voulu mourir
Du premier baiser qui l'a parfumée !

Der grüne Kolibri, König der Hügel, schnellt beim Anblick des Taus und der hellen Sonne, die in sein aus zarten Gräsern geflochtenes Nest scheint, wie ein munterer Lichtstrahl empor in die Luft.

Er beeilt sich und fliegt zu den benachbarten Quellen, wo der Bambus Laute erzeugt wie das Meer und wo der rote Hibiskus mit seinem himmlischen Duft sich öffnet und in seinem Herzen ein glitzerndes Licht birgt.

Auf die goldene Blume senkt er sich herab, läßt sich nieder und trinkt soviel Liebe aus dem rosigen Kelch, daß er stirbt, ohne zu wissen, ob er ihn ausgetrunken hat bis zur Neige.

Auf deinen reinen Lippen, o meine innig Geliebte, wär meine Seele ebenso willig gestorben an jenem ersten Kuß, der sie in Düfte gehüllt!

Mandolin
Claude Debussy (1862–1918)
Text: Paul Verlaine (1844–1896)

Mandoline
Claude Debussy (1862–1918)
Texte : Paul Verlaine (1844–1896)

Mandoline
Claude Debussy (1862–1918)
Text: Paul Verlaine (1844–1896)

The serenaders and their lovely listeners exchange insipid pleasantries beneath the singing branches.

There is Tircis and Amintas, and as always Clitander, and Damis who for many a cruel girl writes many a tender verse.

Their short silk doublets, their long, sweeping dresses, their elegance, their joy and their soft blue shadows

Swirl in the ecstasy of a pink and grey moon, and the mandolin chatters amid the flutterings of the breeze.

Les donneurs de sérénades
Et les belles écouteuses
Échangent des propos fades
Sous les ramures chanteuses.

C'est Tircis et c'est Aminte,
Et c'est l'éternel Clitandre,
Et c'est Damis qui pour mainte
Cruelle fait maint vers tendre.

Leurs courtes vestes de soie,
Leurs longues robes à queues,
Leur élégance, leur joie
Et leurs molles ombres bleues

Tourbillonnent dans l'extase
D'une lune rose et grise,
Et la mandoline jase
Parmi les frissons de brise.

Die zum Ständchen angetreten sind und ihre schönen Zuhörerinnen wechseln unterm singenden Geäst seichte Worte.

Zugegen sind Tircis und Amintas, wie immer Clitander und Damis, der für manches grausame Mädchen manchen zärtlichen Vers verfaßt.

Ihre kurzen seidenen Wämse, ihre langen Schleppengewänder, ihre Eleganz, ihr Vergnügen und ihre weichen blauen Schatten

Wirbeln in der Ekstase eines rosa und grauen Mondes, und die Mandoline schwatzt inmitten des Flatterns der Brise.

14

This is languorous ecstasy

Claude Debussy (1862–1918)
Text: Paul Verlaine (1844–1896)

This is languorous ecstasy, this is the fatigue of love, this is all the trembling of the woods amid the breezes' embrace, this is, in the grey branches, the chorus of faint voices.

O the frail, fresh murmuring! It warbles and whispers, sounding like the soft cry breathed out by the ruffled grass... You would say it was the muted rolling of pebbles beneath the swirling water.

This soul that mourns in such sleepy lamentation, it is ours, is it not? It is mine, is it not, and yours, from which flows a humble anthem on this warm evening, so softly?

C'est l'extase langoureuse

Claude Debussy (1862–1918)
Texte : Paul Verlaine (1844–1896)

C'est l'extase langoureuse,
C'est la fatigue amoureuse,
C'est tous les frissons des bois
Parmi l'étreinte des brises,
C'est, vers les ramures grises,
Le chœur des petites voix.

Ô le frêle et frais murmure,
Cela gazouille et susurre !
Cela ressemble au cri doux
Que l'herbe agitée expire...
Tu dirais, sous l'eau qui vire,
Le roulis sourd des cailloux.

Cette âme qui se lamente
En cette plainte dormante,
C'est la nôtre, n'est-ce pas ?
La mienne, dis, et la tienne,
Dont s'exhale l'humble antienne
Par ce tiède soir, tout bas ?

Dies ist träge Ekstase

Claude Debussy (1862–1918)
Text: Paul Verlaine (1844–1896)

Dies ist träge Ekstase, dies ist die Mattigkeit der Liebe, dies ist alles Beben des Waldes in der Umarmung der Winde, dies ist in den grauen Zweigen der Chor leiser Stimmen.

O das zarte, frische Raunen, es zwitschert und wispert! Es klingt wie der leise Schrei, den das zerzauste Gras aushaucht ... Du würdest sagen, es sei das gedämpfte Rollen von Kieselsteinen unter dem wirbelnden Wasser.

Diese Seele, die trauert in solch schläfriger Klage – ist es die deine, ist sie es nicht? Es ist die meine, nicht wahr, und die deine, aus der sich eine fromme Hymne ergießt an diesem warmen Abend so sacht?

Daphénéo

Erik Satie (1866–1925)
Text: M[imi] God[ebska] (1899–1949)

Tell me, Daphénéo, what is that tree whose fruits are birds that weep?

That tree, Chrysaline, is a bird-tree.

Ah!... I thought that hazel trees produced hazel nuts, Daphénéo.

Yes, Chrysaline, hazel trees produce hazel nuts, but bird-trees produce birds that weep.

Ah!...

Daphénéo

Erik Satie (1866–1925)
Texte : M[imi] God[ebska] (1899–1949)

Dis-moi, Daphénéo, quel est donc cet arbre dont les fruits sont des oiseaux qui pleurent ?

Cet arbre, Chrysaline, | est un oisetier.

Ah!... Je croyais que les noisetiers donnaient des noisettes, Daphénéo.

Oui, Chrysaline, les noisetiers donnent des noisettes, mais les oisetiers donnent des oiseaux qui pleurent.

Ah!...

Daphénéo

Erik Satie (1866–1925)
Text: M[imi] God[ebska] (1899–1949)

Sage mir, Daphénéo, was ist das für ein Baum, dessen Früchte schluchzende Vögel sind?

Dieser Baum, Chrysaline, ist ein Vogelbaum.

Ah! ... Ich dachte, diese Haselnußbäume trügen Haselnüsse, Daphénéo.

Ja, Chrysaline, Haselnußbäume tragen Haselnüsse, aber Vogelbäume bringen schluchzende Vögel hervor.

Ah! ...

Spleen

Erik Satie (1866–1925)
Text: Léon-Paul Fargue (1876–1947)

In an old square where the ocean of bad weather has his seat on a sad bench with raining eyes, is it because of a well set up reddish blonde that you're in despair, in this cabaret of Nothingness that is our life?

Spleen

Erik Satie (1866–1925)
Texte : Léon-Paul Fargue (1876–1947)

Dans un vieux square où l'océan
Du mauvais temps met son séant
Sur un banc triste aux yeux de pluie
C'est d'une blonde
Rosse et gironde
Que tu t'ennuies
Dans ce cabaret du Néant
Qu'est notre vie ?

Spleen

Erik Satie (1866–1925)
Text: Léon-Paul Fargue (1876–1947)

Auf einem alten Platz, wo der Ozean schlechten Wetters seinen Sitz hat auf einer traurigen Bank mit regnenden Augen, liegt es an einer gutsituierten Rotblonden, daß du verzweifelt bist, in dieser Revue der Nichtigkeiten, die unser Leben ist?

My Darling Dolly

Déodat de Séverac (1872–1921)
Text by the composer

My darling dolly does not want to go to sleep! My little angel, you're upsetting me! Close your sweet eyes, your eyes of sapphire, sleep, dolly, sleep, or I shall die.

It would need, I think, to make you behave, a silken cloak and rich blouses; you would like roses on your bright bonnet, jewellery of fine gold and a thousand other things.

My darling dolly etc.

Ma poupée chérie

Déodat de Séverac (1872–1921)
Texte du compositeur

Ma poupée chérie ne veut pas dormir !
Petit ange mien, tu me fais souffrir !
Ferme tes doux yeux, tes yeux de saphir,
Dors, poupée, dors, dors ! ou je vais mourir.

Il faudrait, je crois, pour te rendre sage,
Un manteau de soie, de riches corsages !
Tu voudrais des roses à ton clair béguin,
Des bijoux d'or fin et mille autres choses !

Ma poupée, etc.

Mein liebes Püppchen

Déodat de Séverac (1872–1921)
Der Text stammt vom Komponisten

Mein liebes Püppchen will nicht einschlafen. Mein kleiner Engel, du machst mir Kummer! Schließe deine süßen Augen, deine saphirnen Augen, schlafe, Püppchen, schlafe, oder sich sterbe.

Es würde, glaub ich, eines seidenen Umhangs und üppiger Blusen bedürfen, um dich zur Vernunft zu bringen; du hättest gern Rosen an deinem bunten Häubchen, Schmuck aus feinem Gold und tausend andere Dinge.

Mein liebes Püppchen usw.

When your godpapa comes, on his grey donkey, he'll bring you from Paris a little husband who will say 'Papa' and who will go to sleep when he's asked.

My darling dolly has fallen asleep. Rock her gently, streams and breezes, and you, cherubs, guard her well for me! Her lovely mama loves her to distraction.

Quand parrain viendra, sur son âne gris,
Il t'apportera de son grand Paris,
Un petit mari qui dira « papa »
Et qui dormira quand on le voudra.

Ma poupée chérie vient de s'endormir !
Bercez-la bien doux, ruisseaux et zéphirs !
Et vous chérubins, gardez-la-moi bien,
Sa maman jolie l'aime à la folie.

Wenn dein Pate kommt auf seinem grauen Esel, wird er dir aus Paris einen kleinen Gatten mitbringen, der „Papa" sagen und einschlafen wird, wenn man ihn darum bittet.

Mein liebes Püppchen ist eingeschlafen. Wiegt es sacht, ihr Bäche und Winde! Und ihr, Cherubim, behütet sie mir zuliebe gut; ihre reizende Mama liebt sie heiß und innig.

Song of the Nuts

Gabriel Dupont (1878–1914)
Text: Tristan Klingsor (Léon Leclère)
(1874–1966)

Three nuts in the wood, on the very end of a twig, danced merrily in the wind, twirling like the daughters of a king, a king of the dwarves, naturally.

Because they were hardly as tall as a frog's boot or as thick as a little finger or a peapod.

A snail came past: 'Fine sir, take me in your carriage, I will become your fiancée,' said they all three.

But the old gentleman, deaf and exhausted, the gentleman with his four horns, did not stop beneath the leaves.

And it was the forest ogre, I think, the young, red, greedy, cunning ogre, My Lord Squirrel, who munched them up.

Chanson des noisettes

Gabriel Dupont (1878–1914)
Texte : Tristan Klingsor (Léon Leclère)
(1874–1966)

Trois noisettes dans le bois
Tout au bout d'une brindille
Dansaient la capucine vivement au vent,
En virant ainsi que filles
De roi,
De roi des nains, s'entend.

Car à peine étaient-elles | hautes
Comme botte
De grenouille et grosses
Comme petit doigt ou comme cosses
De pois.

Un escargot vint à passer:
« Mon beau monsieur, emmenez-moi
Dans votre carosse,
Je serai votre fiancée, »
Disaient-elles toutes trois.

Mais le vieux sire sourd et fatigué,
Le sire aux quatre cornes, sous les feuilles
Ne s'est point arrêté.

Et c'est l'ogre de la forêt, je crois,
C'est le jeune ogre rouge, gourmand et
fûté,
Monseigneur l'Écureuil,
Qui les a croquées.

Das Lied von den Nüssen

Gabriel Dupont (1878–1914)
Text: Tristan Klingsor (Léon Leclère)
(1874–1966)

Drei Nüsse im Wald, ganz am Ende eines Zweigs, tanzten lustig im Wind, wirbelten wie die Töchter eines Königs, eines Königs der Zwerge natürlich.

Da sie kaum so groß waren wie der Stiefel eines Frosches oder so dick wie ein kleiner Finger oder eine Erbsenschote.

Eine Schnecke kam vorbei: „Edler Herr, nehmt mich in eurer Kutsche mit, ich will Eure Braut werden", sagten sie alle drei.

Doch der alte Herr, taub und erschöpft, der Herr mit den vier Hörnern, machte unter den Blättern nicht Halt.

Und es war der Waldschrat, glaube ich, der junge, rote, gierige, listige Schrat Baron Eichhörnchen, der sie verspeist hat.

La Grenouillère (The Froggery)

Francis Poulenc (1899–1963)
Text: Guillaume Apollinaire (1880–1918)

On the banks of the island you see the empty boats bumping into each other and now, neither on Sundays nor weekdays, do painters or Maupassant start out barearmed in their boats with their wives, heavy-breasted and without a brain to bless themselves with; little boats, you make me very sad, on the banks of the island.

Translations: Roger Nichols

La Grenouillère

Francis Poulenc (1899–1963)
Texte : Guillaume Apollinaire (1880–1918)

Au bord de l'île on voit
Les canots vides qui s'entre-cognent
Et maintenant
Ni le dimanche ni les jours de la semaine
Ni les peintres ni Maupassant ne se promènent
Bras nus sur leurs canots avec des femmes à
grosses poitrines
Et bêtes comme chou
Petits bateaux vous me faites bien de la peine
Au bord de l'île

La Grenouillère (Der Froschteich)

Francis Poulenc (1899–1963)
Text: Guillaume Apollinaire (1880–1918)

Am Ufer der Insel sieht man die leeren Boote aneinanderstoßen und nun machen sich weder sonntags noch wochentags die Maler oder Maupassant mit nackten Armen in ihren Booten mit ihren Frauen auf den Weg, schwerbrüstig und dumm wie Bohnenstroh; kleine Boote, ihr dauert mich, am Ufer der Insel.

Übersetzungen: Anne Steeb/Bernd Müller

Le lac

Méditation poétique

(Lamartine)

Louis Niedermeyer
(1802–1861)

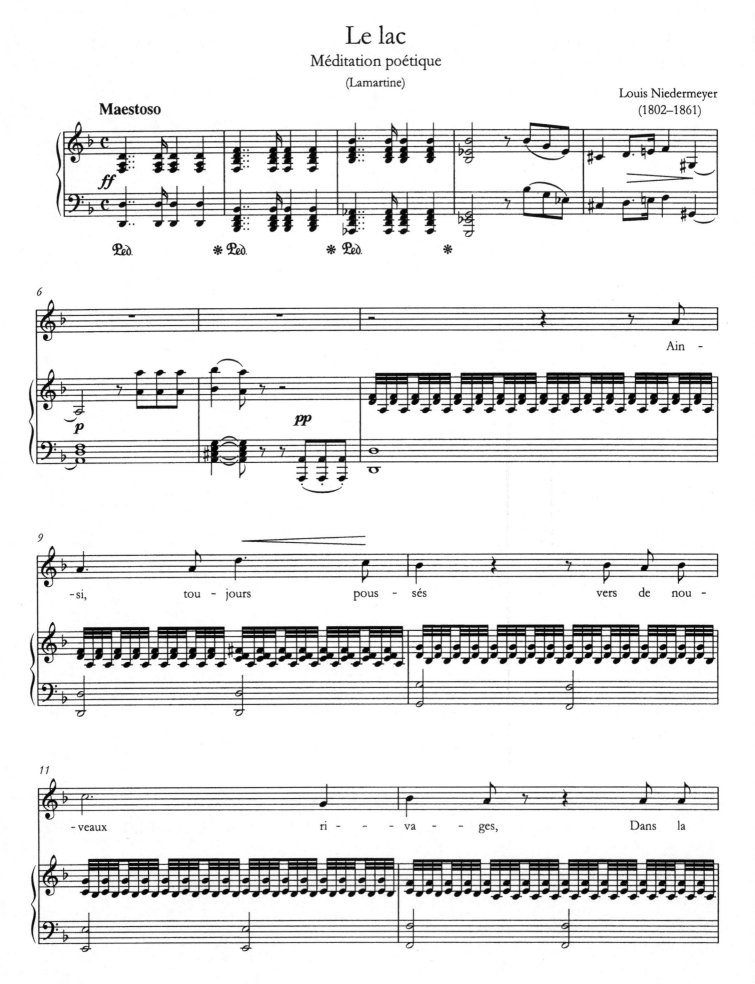

Edition Peters No. 7519b

l'an - - - cre un seul jour?

Ô lac! l'an-née à

pei - ne a fi-ni sa car-riè - re, Et près des flots ché-ris qu'el-le de-vait re-

ROMANCE
Andante

-dez, gar - - dez_____ au moins_____ le sou - ve - nir!

3e COUPLET

Que le

vent qui_ gé - mit,_____ le ro-seau qui sou-pi - re,

Que les parfums lé - gers_____ de ton air_____ em-bau-mé,_____ Que

à Madame Nottès

Absence

(Gautier)

Hector Berlioz
(1803–1869)

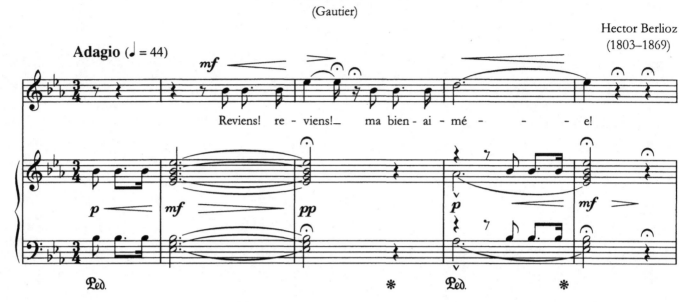

Reviens! re - viens!_ ma bien - ai - mé - - e!

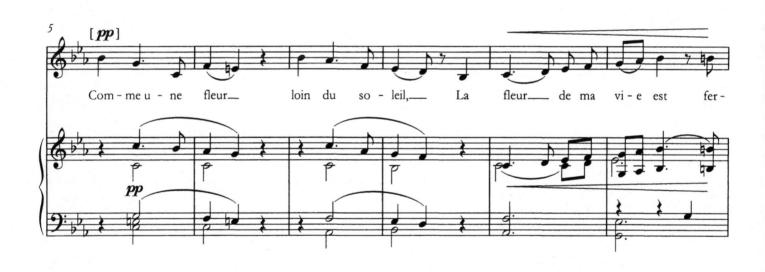

Com - me u - ne fleur_ loin du so - leil,_ La fleur_ de ma vi - e est fer -

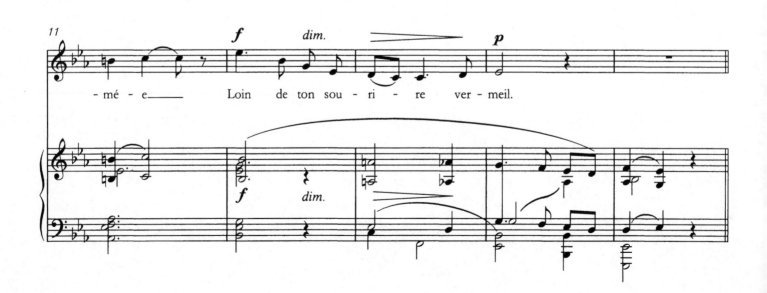

- mé - e_ Loin de ton sou - ri - re ver - meil.

Reviens! re - viens!__ ma bien - ai - mé - - - e! Com - me u - ne

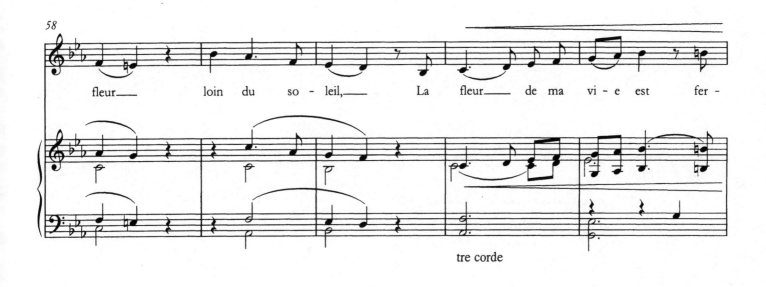

fleur__ loin du so - leil,__ La fleur__ de ma vi - e est fer -

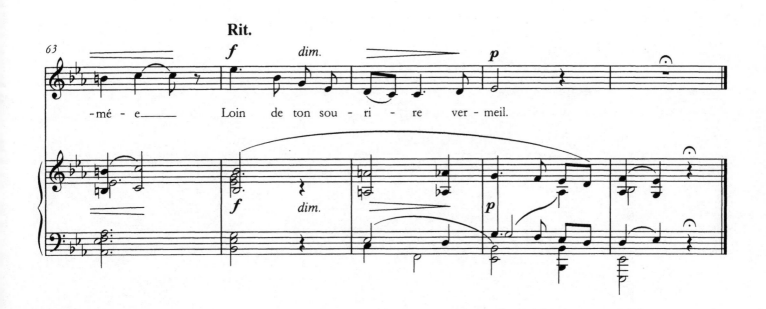

-mé - e__ Loin de ton sou - ri - re ver - meil.

à Monsieur Aymès

Ô ma belle rebelle

(Baïf)

Charles Gounod
(1818–1893)

Andantino quasi allegretto

à Madame Crépet-Garcia

Fleur desséchée

(Pushkin)

Pauline Viardot
(1821–1910)

S'il est un charmant gazon

(Hugo)

César Franck
(1822–1890)

Andantino quasi Allegretto

S'il est un char-mant ga - zon Que le ciel ar-ro - se, Où bril - le en tou-te sai - son Quel-que fleur é - clo - se, Où l'on cueil - le à plei - ne main Lis, chè - vre - feuille et jas - min,

J'en veux fai - re le che - min_____ Où ton pied se po - - se.

S'il est un cœur bien ai - mant Dont l'hon-neur dis -

-po - - se, Dont le fer-me dé-voue-ment N'ait rien de mo - ro - - se, Si tou-

-jours ce no - ble sein   Bat pour un dig - ne des - sein,

J'en veux fai - re le cous-sin_____ Où ton front se po - - se.

S'il est un rê - ve d'a - mour Par - fu - mé de

ro - - se, Où l'on trou-ve cha-que jour Quel-que dou-ce cho - - se, Un____

rê - ve que Dieu bé - nit, Où l'âme à l'â-me s'u - nit,

Rall.

Oh! j'en veux fai - re le nid____ Où ton cœur se po - - se.

A tempo

Consolation

(Malherbe)

Victor Massé
(1822–1884)

où les plus bel - les cho - ses Ont le pi - re des - tin; Et

ro - - - - se el - le a vé - cu ce que

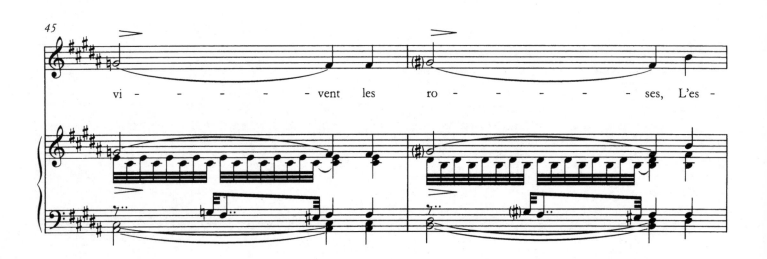

vi - - - - vent les ro - - - - ses, L'es -

-pa - - - - - ce d'un ma - tin, l'es -

-pa - - - - ce d'un ma - tin.

sempre decresc.

à Vergnet

Ballade à la lune

Chanson humoristique

(Musset)

Edouard Lalo
(1823–1892)

La sérénité

(Barbier)

Camille Saint-Saëns
(1835–1921)

l'heu – re suc-cè – de à l'heu – re; Le flot cou – le sans qu'il m'ef – fleu – – re;

Tout fuit, tout passe et je de-meu – – re

Dans ma froi – de im–mor-ta – li – té. Rien ne me trou-ble dans ma

voi – e; Je vais sans sou – ri – re et sans pleurs; Je n'ai ja – mais___ con – nu la

à Mademoiselle Blanche Baretti

Chanson espagnole

(Musset)

Léo Delibes
(1836–1891)

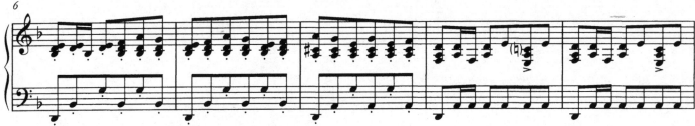

Allegretto

una corda e sempre staccato

1. Nous ven - ions de voir le tau - reau,_____
2. Et nous dan-sions un bo - lé - ro_____
3. Et nous dan-sions un bo - lé - ro_____

_____ Trois gar-çons, trois fil - let - - - - tes._____
_____ Un soir, c'é - tait di - man - - - - che._____
_____ Au pied de la col - li - - - - ne._____

à Madame Ernest Bertrand

Pastorale

(Regnard)

Georges Bizet
(1838–1875)

Un jour___ de prin - temps,___

Tout le long_ d'un ver - ger___

Co - lin va chan - tant,___

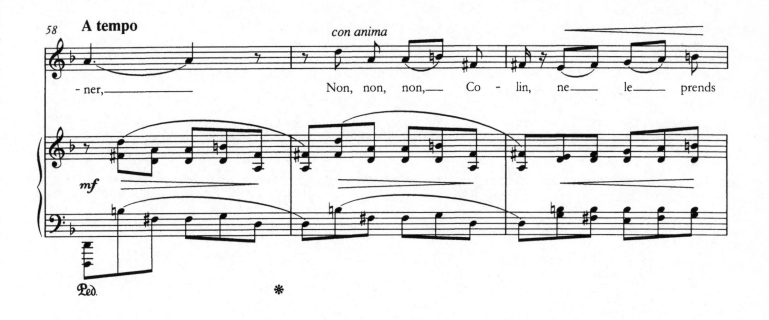

Non, non, non,— Co - lin, ne— le— prends

pas...———— je vais— te— le———— don - ner! »——

Nuit d'Espagne

(Gallet)

Jules Massenet
(1842–1912)

L'air est em-bau - mé   La nuit est se - rei - - ne

[sim.]

Et mon âme est   plei-ne De pensers joy - eux;___ ô bien ai - mé - - e,   Viens! ô bien ai-

C'est l'heu-re d'a-mour.___ C'est l'heu - - - - - - -

- re.

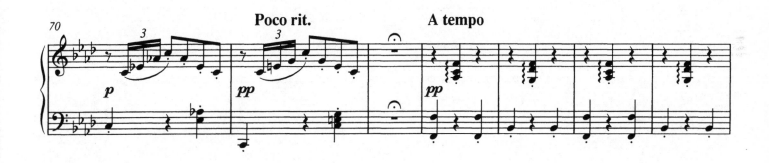

Dans le som-bre a-zur   Les blon-des é-toi - - les   É-car-tent leurs

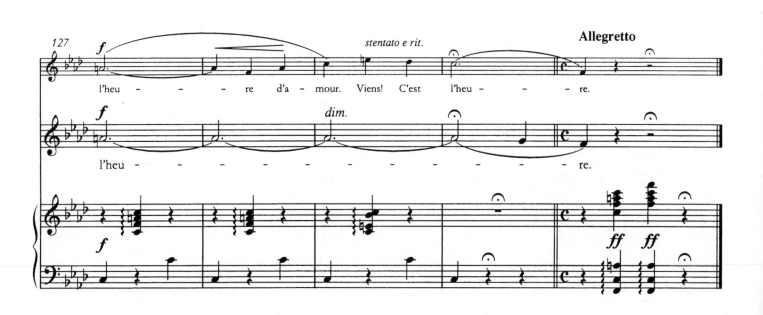

à son ami Paul Lhérie
du Théâtre national de l'Opéra-Comique

L'île heureuse

(Mikhaël)

Emmanuel Chabrier
(1841–1894)

Dans le gol - fe aux jar - dins om - breux,____ Des coup - les blonds d'a - mants heu - reux____ Ont fleu - ri les mâts lan - gou -

Rall. sempre poco a poco

-mi les lys é - tran - gers, Je dor - mi - rai, dans les ver-

A tempo

-gers,___ Sous ta__ ca - res - - - sel___

[colla parte]

Rit. poco a poco

cresc.

Poco lento

Sérénité de la nuit

(Gallet)

Emile Paladilhe
(1844–1926)

Tremble au ciel,— é - toi - le blon - de, Et— sur l'on-de E-grè - ne tes di - a - mants,—

Et dis-crèt-e-ment é - clai - - - re Le— mys-tè - re Cher aux lèv - res des— a - mants.—

à Madame Marie Trélat

Lydia
(Leconte de Lisle)

Gabriel Fauré
(1845–1924)

Ly - di - a, sur tes ro - ses jou - - es

Et sur ton col frais et si blanc, Rou - le é - tin-ce-lant L'or flu-

- i - de___ que tu dé - nou - - es; Le jour qui luit est le meil - leur;

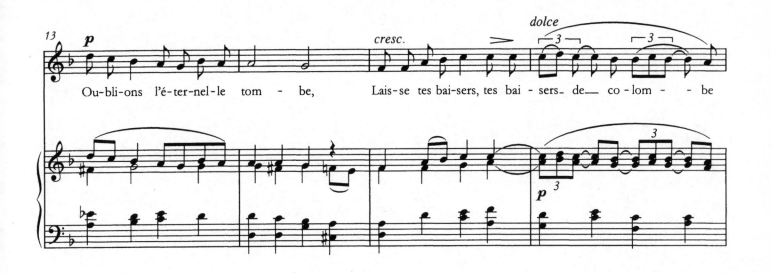

Ou-bli-ons l'é-ter-nel-le tom - be, Lais-se tes bai-sers, tes bai - sers_ de_ co-lom - - be

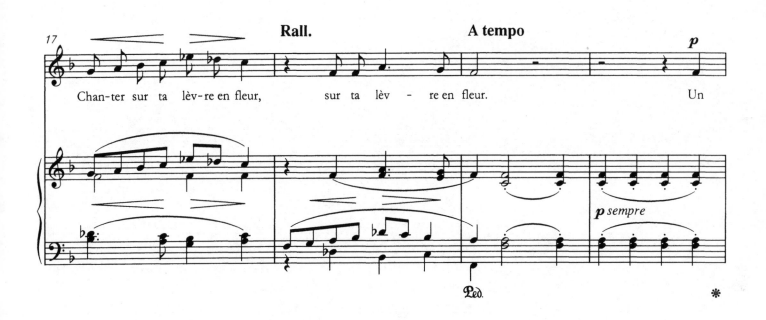

Chan-ter sur ta lèv-re en fleur, sur ta lèv - re en fleur. Un

lys ca-ché ré - pand sans ces - - se Une o-deur di - vi-ne en ton sein;

à Madame Marguerite Baugnies

Après un rêve
(Bussine)

Gabriel Fauré
(1845–1924)

à Monsieur Camille Benoit

Extase

(Lahor)

Henri Duparc
(1848–1933)

Sur ton sein pà - - - le mon cœur dort D'un som - meil doux com-me la mort...

Ped. ✼ Rit. A tempo Poco rall.

pp dim. pp pp sempre dim.

Le colibri

(Leconte de Lisle)

Ernest Chausson
(1855–1899)

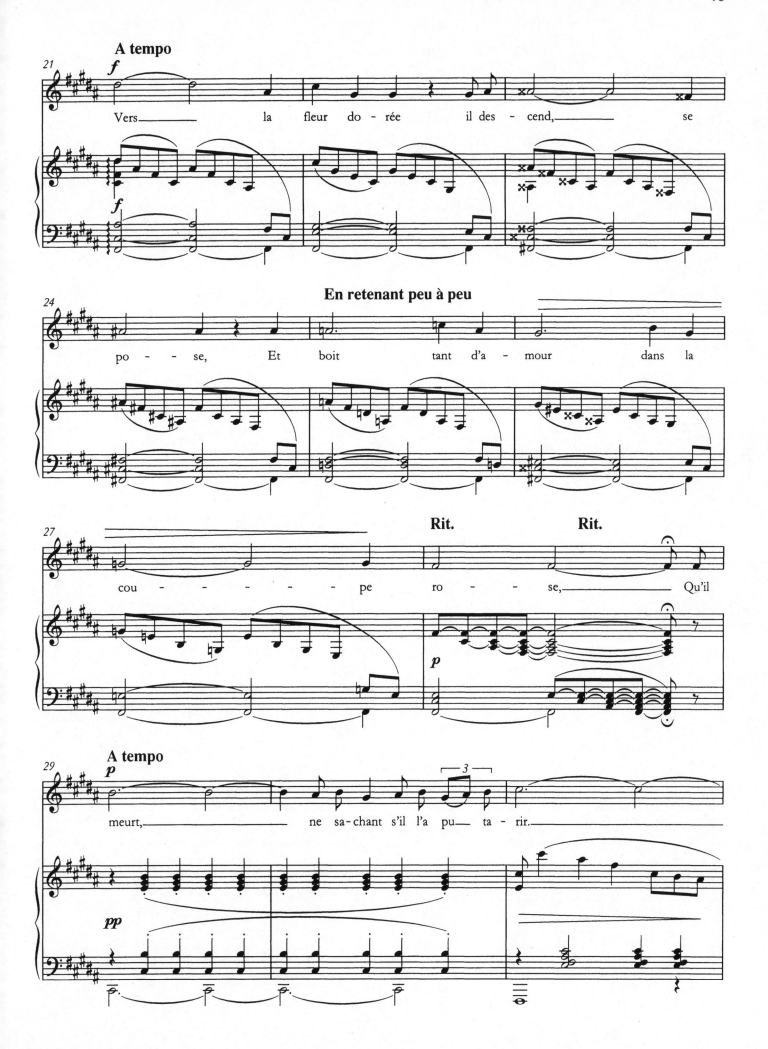

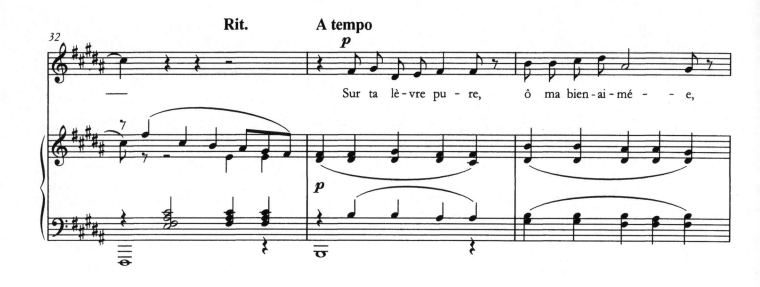

Rit.   **A tempo**

Sur ta lè - vre pu - re,   ô ma bien - ai - mé - - e,

Tel - le aus - si mon â - me eût vou - lu mou - rir

Du premier bai - ser____ qui l'a par - fu - mé - - - e!____

à Madame Vasnier

Mandoline

(Verlaine)

Claude Debussy
(1862–1918)

Les don-neurs de sé - ré - na - des

Et les bel - les é - cou-teu - ses É - chan - gent des pro-pos fa - des

Sous les ra - mu-res chan - teu - - - - - ses.

C'est Tir - cis et c'est A - min - - te,

à Miss Mary Garden

C'est l'extase langoureuse

(Verlaine)

Le vent dans la plaine
Suspend son haleine

(Favart)

Claude Debussy
(1862–1918)

C'est l'ex - ta - se lan-gou-reu - se,

C'est la fa - ti - gue a-mou-reu - se,

C'est tous les fris - sons des bois Par - mi l'é-trein-te des bri - ses,

C'est, vers les ra - mu - res gri - ses, Le chœur des pe - ti - tes voix.

Ô le frêle et frais mur-mu — re, Ce - la ga - zouil -

-le et su-sur - re! Ce - la_____ res - sem - ble au cri doux Que l'her-be a - gi -

(1) On alternative dynamics in the vocal line in bars 37–44 see Critical Commentary

Zu den alternativen Dynamikanweisungen für die Gesangsstimme in den Takten 37–44 siehe Kritischer Kommentar

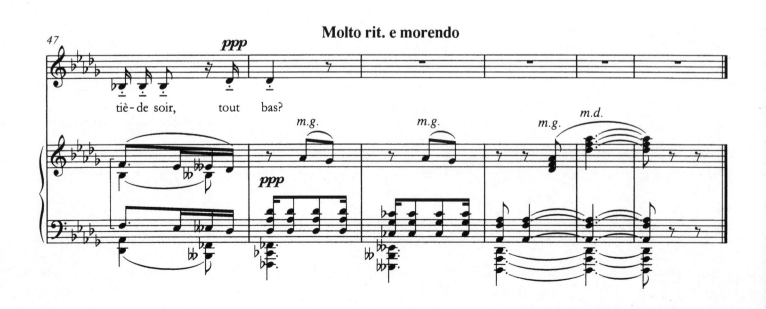

à Emile Engel

Daphénéo

(M. God [Mimi Godebska])

Erik Satie
(1866–1925)

Spleen

(Fargue)

Erik Satie
(1866–1925)

pour Magali et pour Cesette

Ma poupée chérie

(Séverac)

Déodat de Séverac
(1872–1921)

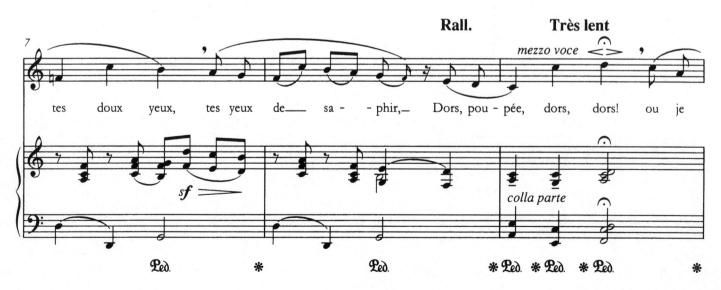

à Madame Jeanne Charles-Max

Chanson des noisettes

(Klingsor)

Gabriel Dupont
(1878–1914)

Trois noi - set - tes dans le bois Tout au bout d'u - ne brin - dil - le Dan - saient la ca - pu - ci - ne vi - ve - ment au vent, En vi - rant ain - si que fil - - les De

Toujours même mouvement

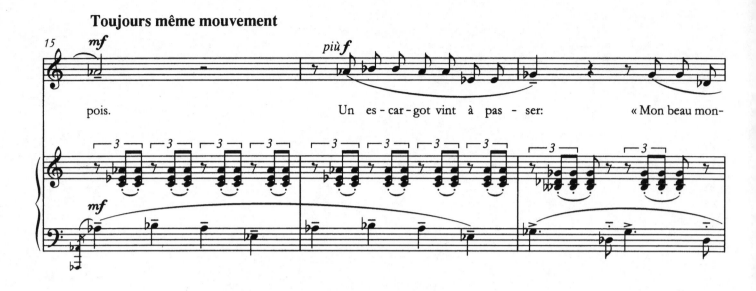

pois.　　　　　　　Un es - car - got vint à pas - ser:　　　« Mon beau mon-

-sieur,＿＿＿＿　em - me - nez - moi　　Dans vo - tre car - ros - - se,　Je se -

En retenant　　　　　　　**Librement**

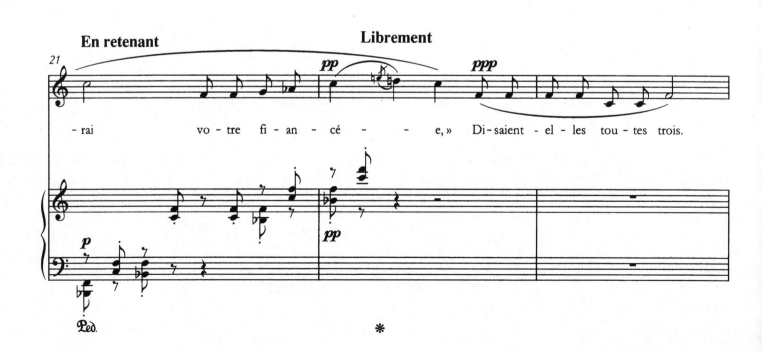

- rai　　　vo - tre fi - an - cé - - e, »　Di - saient - el - les tou - tes trois.

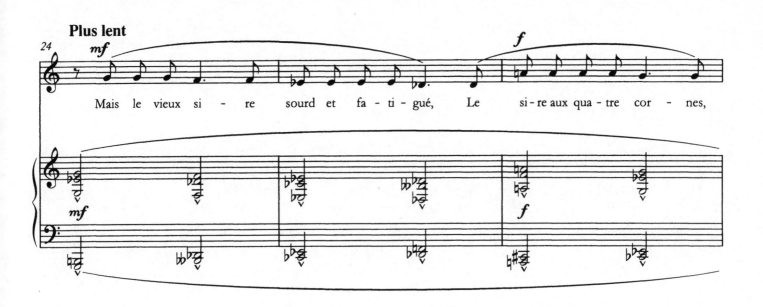

Plus lent

Mais le vieux si – re sourd et fa – ti – gué, Le si – re aux qua – tre cor – nes,

Librement   **Au mouvement (animé et léger)**

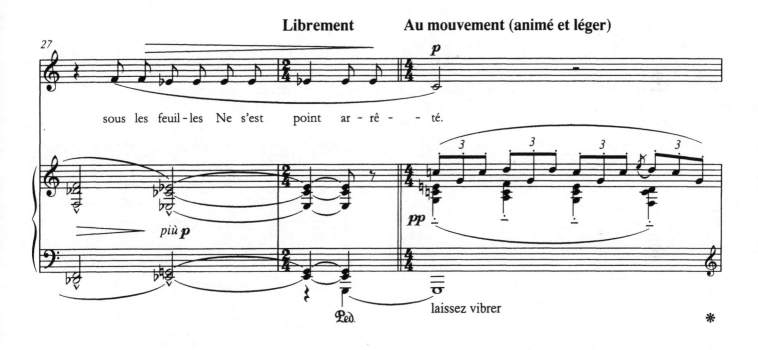

sous les feuil – les Ne s'est point ar – rê – té.

laissez vibrer

Et c'est l'o – gre de la fo – rêt, je crois,

C'est le jeu - ne o - gre rou - ge, gourmand et fû - té, Mon - sei -

Sans ralentir

En animant jusqu'à la fin

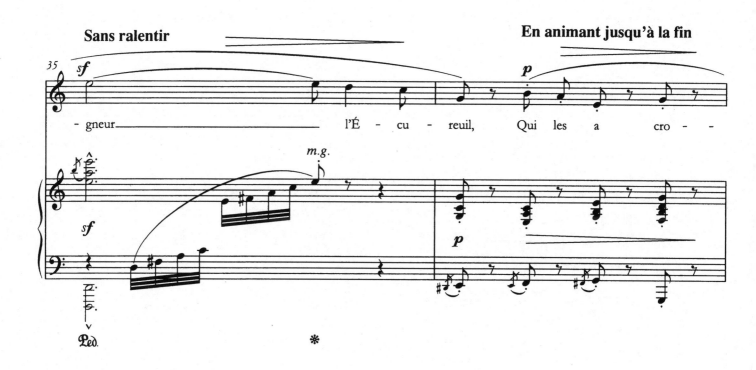

- gneur_____ l'É - cu - reuil, Qui les a cro -

- qué - - - es.

à Marie-Blanche

La Grenouillère

(Apollinaire)

Francis Poulenc
(1899–1963)

Très las et mélancolique ♩ = 56

mf

pp

très estompé par les pédales

Au bord de l'î - le on voit_____ Les ca - nots vi - des_____ qui s'en - tre -

-co - - gnent_____ Et main - te - nant Ni le di - man - che, ni les jours de la se -

-mai - ne, Ni les pein - tres ni Mau - pas - sant ne se pro - mè - nent Bras nus sur

leurs ca — nots   a — vec des   fem-mes à gros-ses poi-tri — nes   Et   bê — tes com — me chou

Pe — tits ba — teaux   vous   me fai-tes bien de   la   pei — ne   Au   bord   de

l'î — — — — le.

très doux et très clair

Music-setting by Paul Rigby
Printed by Caligraving Ltd, Norfolk, England

CRITICAL COMMENTARY

All shelf marks refer to the Département de la musique, Bibliothèque nationale, Paris. All editions were published in Paris.

Pitch references have been altered to agree with the keys adopted in this volume.

pf = piano   RH = right hand   LH = left hand

Niedermeyer: *Le lac*

Autograph not traced. First edition, 1825. Present text follows sixth edition, Pacini, n.d. (G. 6877(1)). Transposed down a tone from E minor/G major.

Bar 40, pf. First edition has ♯ to *f'* in beat 3; corrected in sixth edition
Bar 102. Pedalling in *3ᵉ Couplet* added editorially by analogy with previous verses

Berlioz: *Absence*

Sources of original version with piano accompaniment
A   autograph (MS 1180)
E1   first edition (Rés. F. 1431 (2)), Catelin, 1841
      Modern edition of cycle *Les Nuits d'été* in *Patrimoine* series, 1992, ed. Peter Bloom
This is the fourth song in *Les Nuits d'été*. There are slight discrepancies between Gautier's punctuation, reproduced in the printed text, and that in the first edition of Berlioz's song, reproduced in the score. Transposed down an augmented 2nd from F♯ major.

Bar 20. *con agitazione* from A
Bar 22. *poco cresc.* from E1; begins on final quavers of bar 20 in A
Bar 30, pf. RH *e'♭* from A, E1; omitted in some later editions
Bar 49. *Tempo Iᵒ largo* delayed until bar 53 in A (followed by Bloom). In both sources *Tempo Iᵒ* is in fact *Adagio*
Bars 52, 53. Crescendo up to *mf* at start of bar 53 from A and E1; omitted in some later editions
Bar 56, pf. Editorial *p* markings added by analogy with bar 53

Gounod: *Ô ma belle rebelle*

Autograph not traced. Present text follows the first edition, in the Choudens collection, 1867 (Vm7. 18623). This is the fifth song in the collection. Transposed down a semitone from F minor.

Viardot: *Fleur desséchée*

Autograph not traced. Present text follows the first edition of *Douze mélodie sur des poésies russes*, Gérard, 1866 (Vm7. 108176). This is the first song in the collection. Transposed down a tone from E♭ major.

Bars 10, 52, voice. The final quaver *d'♭* of bar 10 is printed as *d'♮* on its return in bar 52. It is unclear whether this is an intensification or whether in bar 10 ♮ has been omitted by mistake.

Franck: *S'il est un charmant gazon*

Autograph not traced. Present text follows the posthumous first edition in *La revue musicale*, 1 December 1922. Transposed down a tone from E♭ major.

Massé: *Consolation*

Autograph not traced. First edition of *Chants d'autrefois* published by Mayaud, 1849–50. Present text follows edition by Léon Grus, 1881 (Vm7. 3244). This is the tenth song in the collection. Transposed down a minor 3rd from D minor/major.

Lalo: *Ballade à la lune*

Autograph (W 434) identical with first edition in *Vingt mélodies*, Hamelle, 1894. Possibly written around 1860. This is the seventh song in the collection. Original pitch retained.

Bars 43, 54, 60. Liaisons have not been marked at the end of the words 'Diane', 'close' and 'Lune' because of the commas which follow; however, the singer is at liberty to perform the liaisons if no pause or breath is made on the commas

Saint-Saëns: *La sérénité*

Autograph not traced. Present text follows original C major version, written in 1893, Durand, 1896 (D. & F. 5040).

Delibes: *Chanson espagnole*

Autograph not traced. Present text follows edition by Colombier, n.d. (Vm15. 1592). The song is the third in a set of *Trois mélodies*. Transposed down a major 3rd from F♯ minor.

Bar 55, pf. Accent on quaver 6 may perhaps refer back to off-beat accents in bar 44, or may simply have been moved forward from quaver 5 in error

Bizet: *Pastorale*

Autograph in the library of the Royal Academy of Music (RAM MS 306). Identical with first edition by Hartmann, 1868 (Vm7. 32702). The song was written in that year. Transposed down a minor 3rd from F minor.

Massenet: *Nuit d'Espagne*

Autograph not traced. Present text follows edition by Hartmann, 1874 (Vm7. 79571). This song, written in 1872 and originally entitled *L'heure d'amour*, is based on an *air de ballet* from the orchestral suite *Scènes pittoresques*. Transposed down a tone from G minor.

Bar 97. A liaison has not been marked at the end of the word 'cruelle' because of the comma which follows; however, the singer is at liberty to perform the liaison if no pause or breath is made on the comma

120

Chabrier: *L'île heureuse*

Sources
A   autograph (MS 3911); in C major
E1 first edition of *Six mélodies*, of which this is the fourth song (Vm7. 39657); in D major

Bar 24. *A tempo* from E1; at bar 23 in A. But A and E1 agree on placement in succeeding verses (bars 48 and 72).
Bar 57, voice. A has crotchet *c''* on beat 2; dotted quaver and semiquaver rest from E1. I have adopted the latter reading as being more evocative.
Bar 64. ⌢ (voice) and *pp* (pf) from E1; absent in A. This suggests voice might enter after pf's final triplet (*g''*).
Bar 79. *Poco lento* from E1; absent in A

Paladilhe: *Sérénité de la nuit*

Autograph not traced. Present text follows edition by Heugel, 1888, in *Vingt Mélodies*, Vol. II (Vm7. 86276). This is the fourth song in the collection. Transposed down a major 3rd from G major.

Fauré: *Lydia*

Autograph not traced. Present text follows second edition by Choudens, 1877 (Ac.m. 2328 (6)). This is the eighth song in the collection; written around 1870. F major is the original key.

Fauré: *Après un rêve*

Autograph not traced. Present text follows edition in Hamelle collection, 1890 (Vm7. 2698). This is the fifteenth song in the collection; written in 1877. C minor is the original key.

Duparc: *Extase*

Autograph not traced. Present text follows edition of Baudoux, 1894 (Ac.m. 2058 (4)). Transposed down a major 3rd from D major.

Chausson: *Le colibri*

Autograph (Cons. MS. 8810) in B major, transposed into Db major in first edition, Hamelle, n.d. (Vma. 505), where it is the seventh song in the collection.

Debussy: *Mandoline*

Sources
A   autograph (MS 17716 (3))
E1 first edition, Durand et Schoenewerk, 1890 (Vm7. 47249)
E2 transposed edition in Bb major, 1906, (D. & F. 6689)
Present text follows E2

Bar 1. A has tempo marking *Allegretto vivace*
Bar 2, pf. A has marking *con sordino*; no indication of where lifted
Bars 50–63, pf. LH phrasing follows E1; although inconsistent it does make musical sense

Debussy: *C'est l'extase langoureuse*

Sources
A   autograph (MS 20695 (1))
E2 edition by Fromont, 1903 (Vm7. 18059)
This is the first song in the collection *Ariettes* (E1), reprinted as *Ariettes oubliées* (E2). Transposed down an augmented 2nd from E major.

Bar 1. A has tempo marking *Molto Moderato, tempo rubato*
Bar 17, pf. A has a diminuendo from second quaver
Bars 26–27. A has *Rit...morendo...* into bar 28
Bar 28. *A tempo* from an autograph at Royaumont and the first edition (Girod, 1888); omitted in A and E2. Restored here, since some culmination required either to above *Rit...morendo...* or to *poco a poco animato* in bar 22.
Bars 37–44, voice. Additional dynamics to those in E2 from A; presented here in brackets

Satie: *Daphénéo*

Sources
Corrected proof (BN Rés. Vma. 159)
First edition, as the second of *Trois mélodies*, Rouart-Lerolle, 1917 (Fol. Vm7. 14179)
The texts are identical. Original pitch retained.

Satie: *Spleen*

Sources
Autograph, ex collection Robert Caby, taken from catalogue *Satie op papier*, Stedelijk Museum, Amsterdam, 27 March –9 May 1976, item 98 (I am grateful to Professor Robert Orledge for providing a photocopy of this item)
First edition, as second of *Ludions*, Rouart-Lerolle, 1926 (Fol. Vm7. 10829)
The (posthumous) first edition contains no phrasing other than for the voice in bars 3–7. I have supplied other phrasing from the autograph, together with dynamic indications in bars 3–6. Transposed down a minor 3rd from Eb major.

Séverac: *Ma poupée chérie*

Autograph not traced. Present text follows edition of *Douze mélodies*, Rouart, 1916 (Fol. Vm7. 13412). This is the tenth song in the collection. Transposed down a tone from D major.

Subtitle: *Berceuse-Chanson pour petite (ou grande) fille*

Dupont: *Chanson des noisettes*

Autograph not traced. Present text follows first edition, Heugel, 1908 (Ac.m. 2088 (2)). Transposed down a tone from D major.

Poulenc: *La Grenouillère*

Autograph in the Conservatoire de musique de Montréal has not been consulted. Present text follows first reprint of first edition, Deiss/Salabert, 1939. Although Apollinaire's poem is characteristically unpunctuated, Poulenc added punctuation of his own. Transposed down a tone from D major.